L'ODYSSÉE **DE LA VIE**

Images 3D réalisées par le studio Mac Guff Ligne,
extraites du film **L'Odyssée de la vie** réalisé par Nils Tavernier,
et coproduit par Transparences Productions,
17 Juin Média et France 2.

Maquette : Olivier Lauga

L'ODYSSÉE
DE LA VIE

Préface du Pr René Frydman

Marabout

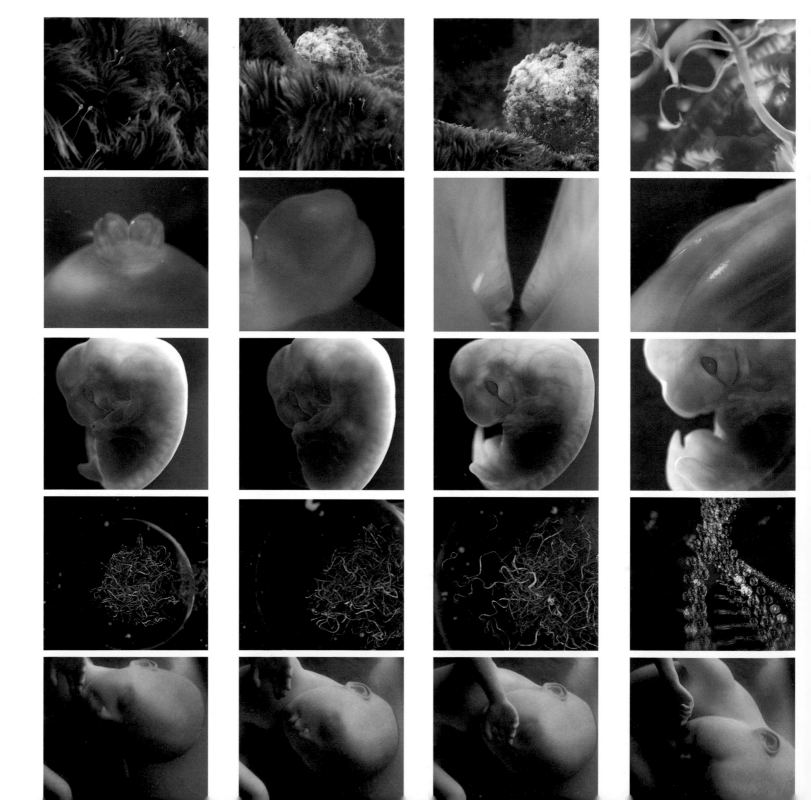

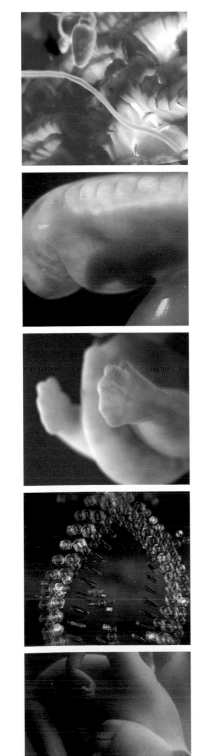

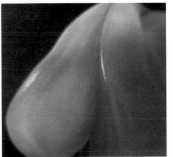
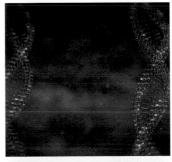

Sommaire

PRÉFACE

L'Odyssée de la vie nous fait revivre en image la genèse de l'Homme. Les anciens ont toujours cru que, si l'union d'un homme et d'une femme était nécessaire à la création d'un être humain, cela ne suffisait pas. Vents, souffle vital, esprit divin... quelles que soient les cultures et les époques, on a de tout temps fait référence à un élément surnaturel, énigmatique ou mystérieux.

C'est cette part d'inconnue que la science cherche à percer et à décrypter.

L'étude du corps humain, les dissections anatomiques, les anomalies de la nature nous ont permis d'avancer dans cette quête. Récemment, le rythme d'acquisition de nos connaissances s'est singulièrement accéléré. Et cela ne fait que commencer grâce, d'une part, à une meilleure compréhension des gènes et de leur action sur la croissance et, d'autre part, à l'observation du développement de chaque tissu, de chaque organe, le tout dans un équilibre et dans une simultanéité étonnante.

La vision microscopique d'un œuf humain fécondé, l'image en trois dimensions d'un fœtus de 5 semaines, les données de l'imagerie fonctionnelle (IRM) et la pratique médicale nous donnent accès à un savoir demeuré jusque-là dans les limbes. On est aujourd'hui en mesure de reconstituer l'étrangeté de la fécondation et du développement humain.

Comment l'ovocyte, une fois pénétré par un spermatozoïde, parvient-il à se fermer à tout autre intrus ? Comment l'embryon a-t-il l'énergie de se débarrasser de sa coque protectrice pour se nicher dans l'utérus et tisser avec sa mère des liens complexes (« je dépends totalement de toi mais nos sangs ne se mélangent pas ») ? Apparition des yeux ou des membres, éclosion de la fonction cardiaque, accroissement des organes, prise de possession de l'espace et mise en route de la fonctionnalité des sens : comment, comme dans une gigantesque symphonie, toutes ces partitions se jouent-elles en même temps ?

Quelques qualités sont d'ores et déjà identifiées comme indispensables pour assurer le bon déroulement du concert : la simultanéité et la régularité (sinon les défauts, les malformations et les handicaps guettent) tout comme l'égalité à l'échelle cellulaire (sinon les troubles, les maladies, l'anarchie cellulaire comme les cancers veillent).

Mais l'humain n'est pas qu'une mécanique, c'est avant tout un support sensitif aux relations qui l'entourent, d'où sa complexité. Ainsi, la mise en route de l'accouchement peut être montrée et objectivée sans que ce qui le déclenche soit totalement compris. Chaque acquisition nouvelle est déjà une source d'interrogation et renvoie à d'autres inconnues...

La vie humaine existe dès la formation des premières cellules (spermatozoïdes et ovules) et même plus en amont si on adopte l'échelle moléculaire ou atomique : la vie ne s'arrête jamais. Mais à partir de quand peut-on parler de personne humaine ?

À ce stade, est-ce un « tout » ou un « presque rien » ? Les réponses varieront selon nos conceptions du monde, nos philosophies.

Quoi qu'il en soit, l'émotion sera constamment présente à la lecture de cet ouvrage, car ce que montrent ces images de synthèse, c'est la complexité et le caractère aléatoire de cette gestation. Oui, nous avons échappé à beaucoup de scenarii catastrophes que vous ne verrez pas.

Quels que soient les cultures, les latitudes, les rituels de passage, les possibilités d'accueil, les chemins de la vie passent désormais par ce film, devenu un beau long métrage.

Pr René Frydman

La course vers la vie

du 1er au 8e jour

La course
vers la vie

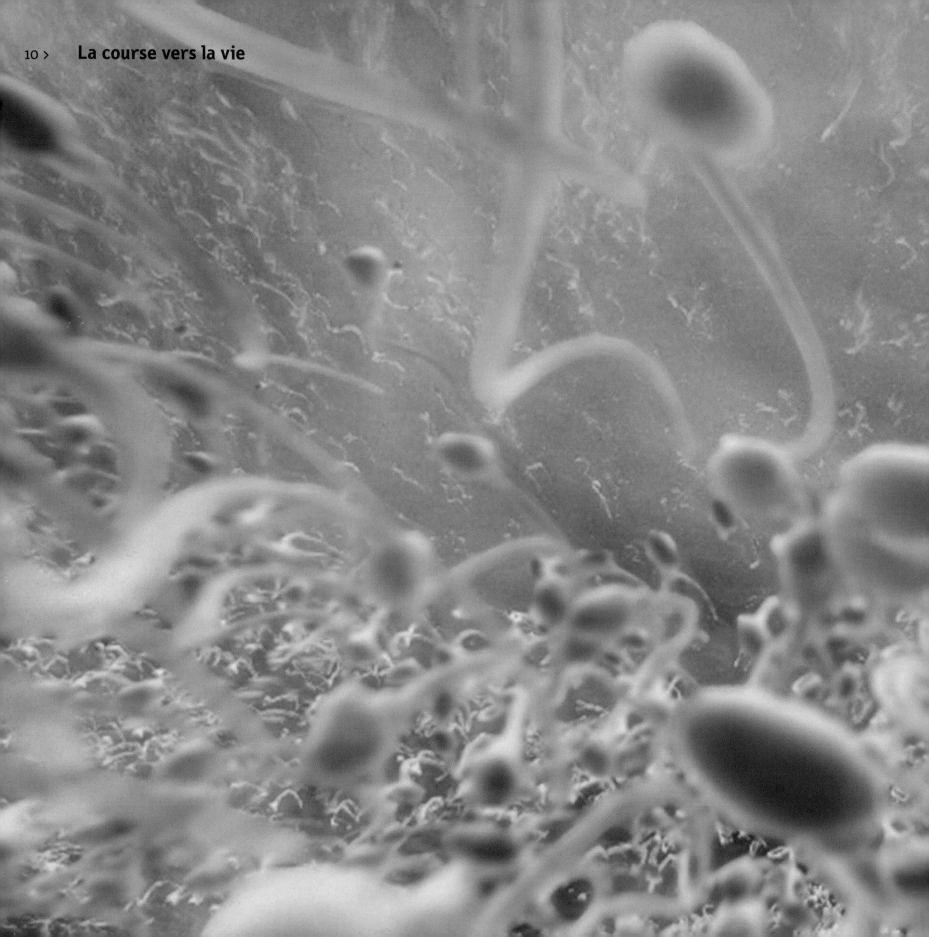

**Tout commence
par une course
folle...**

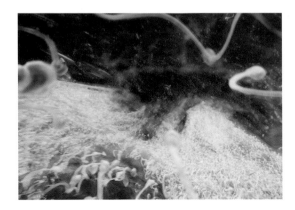

Que le meilleur gagne !

Dans le vagin, des millions de spermatozoïdes sont propulsés pour une course au trésor. Petits, blanchâtres, translucides, vivaces et grouillants, ils ondulent tous dans la même direction à l'aide de leur queue, le flagelle. Parmi eux, certains, malformés (avec une grosse tête et un petit flagelle, ou deux têtes et deux flagelles...), progressent beaucoup moins rapidement que les autres. Comme dans toute course, il faut être rapide, avoir une bonne constitution et un peu de chance pour gagner !

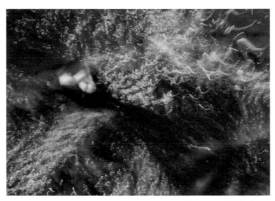

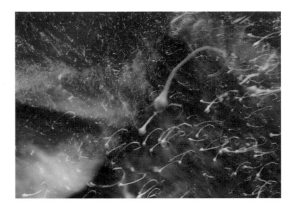

Environ 40 % des spermatozoïdes partent per-
dants, car ils n'ont pas l'équipement nécessaire
pour arriver à bon port. Les autres, longs de
5 centièmes de millimètre, foncent à toute allure,
déjouant les patrouilles de globules blancs et se
faufilant à travers les cellules filamenteuses.

Ils se dirigent vers un tunnel très étroit, rempli
de substances visqueuses : les glaires cervica-
les. C'est le col de l'utérus, passage obligé pour
atteindre l'ovule.

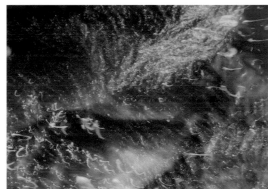

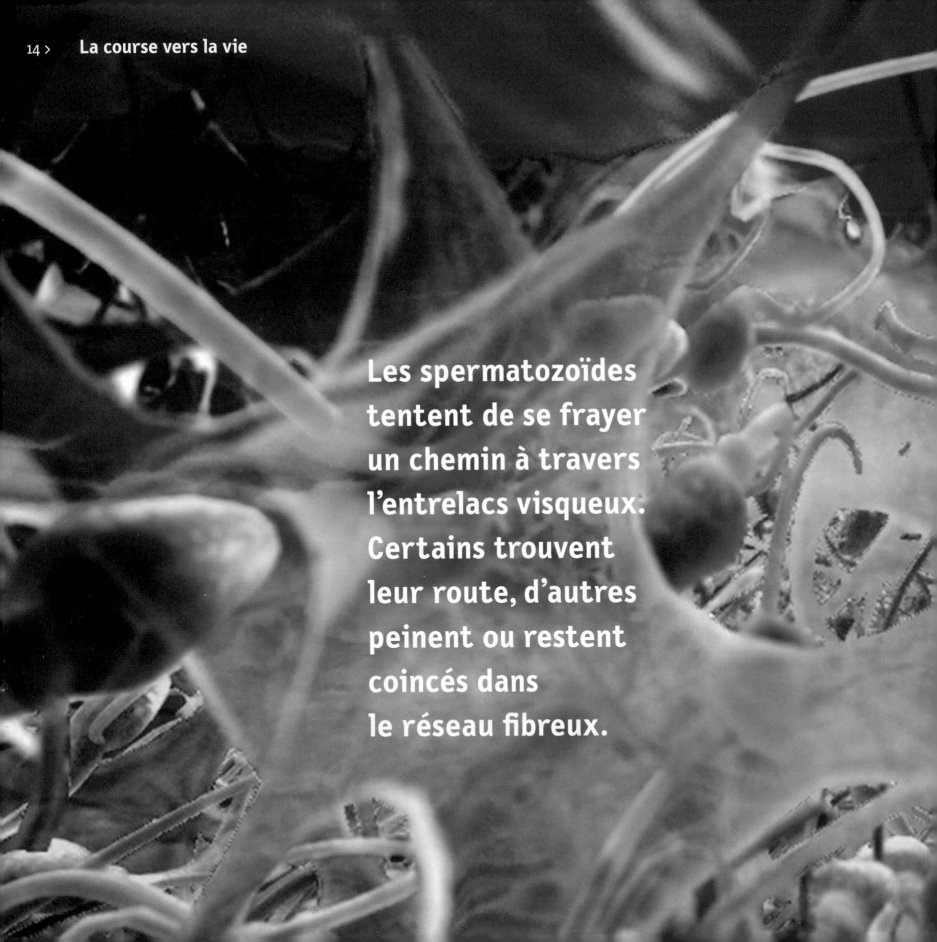

**Les spermatozoïdes
tentent de se frayer
un chemin à travers
l'entrelacs visqueux.
Certains trouvent
leur route, d'autres
peinent ou restent
coincés dans
le réseau fibreux.**

Ça y est !
L'obstacle
est franchi.
Les spermatozoïdes
encore en course
remontent très
rapidement
l'utérus et
pénètrent l'une
des deux trompes
de Fallope.

La course vers la vie

À l'intérieur d'une trompe de Fallope

La remontée de la trompe est difficile ! Le décor a changé. Les spermatozoïdes doivent se battre contre des courants inverses, résister aux mouvements des cils vibratoires qui tapissent la trompe et aux contractions musculaires de celle-ci qui chassent en sens contraire l'ovule vers l'utérus. Il leur faut aussi éviter de tomber dans les nombreux replis des parois, véritables pièges dont ils pourraient ne jamais sortir.

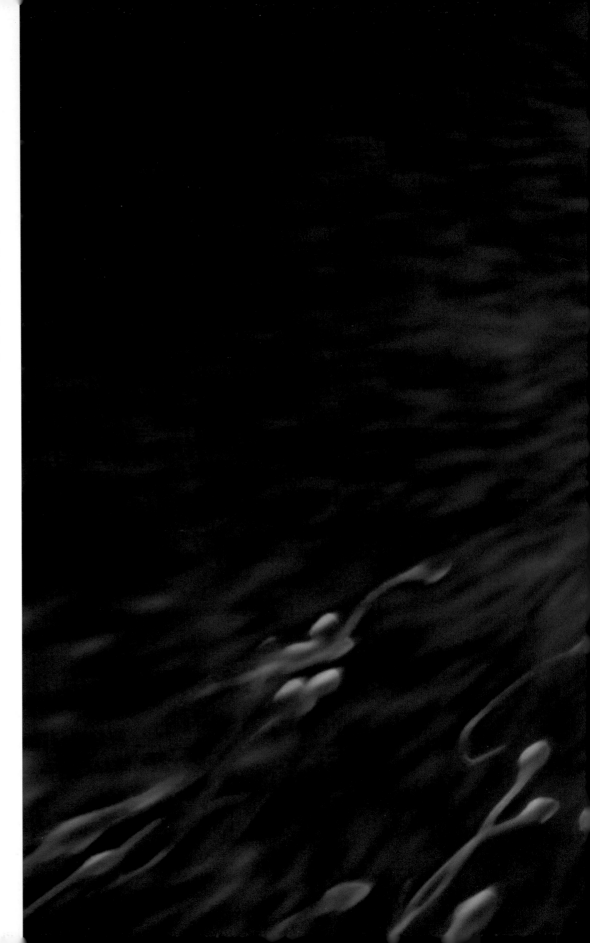

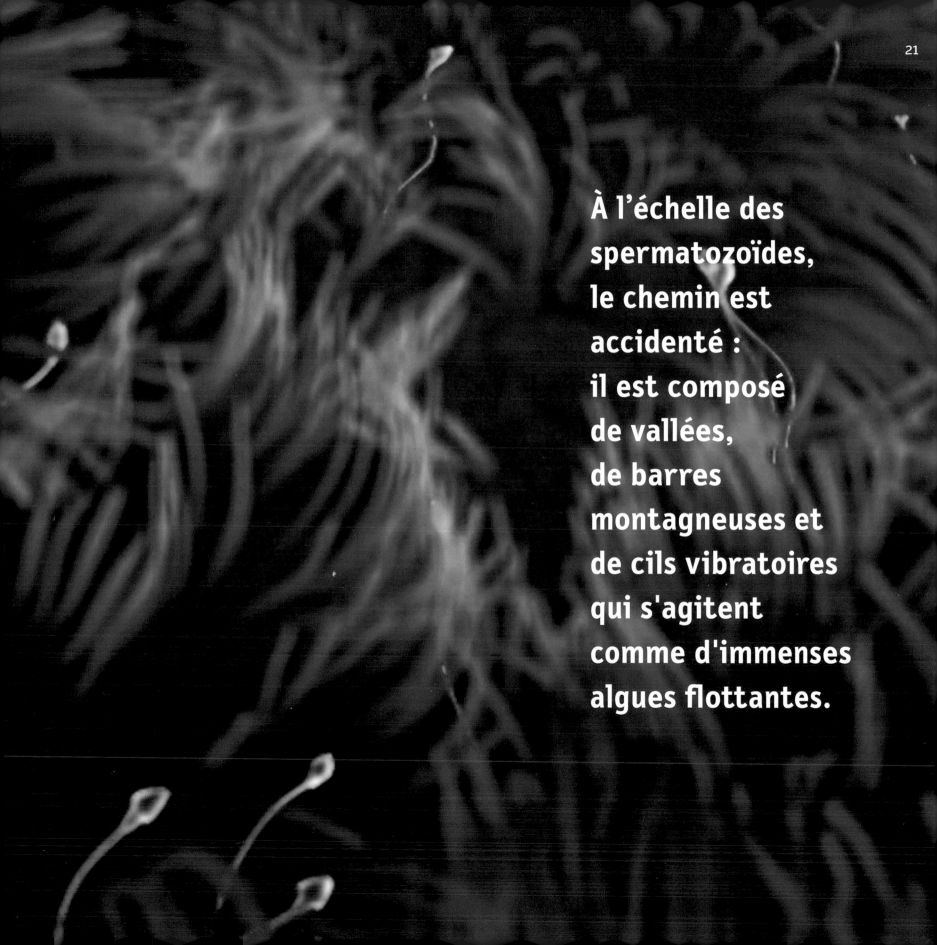

À l'échelle des
spermatozoïdes,
le chemin est
accidenté :
il est composé
de vallées,
de barres
montagneuses et
de cils vibratoires
qui s'agitent
comme d'immenses
algues flottantes.

La course vers la vie

Ovule en vue !

Mais est-ce la bonne trompe, celle qui recèle l'ovule ? Peut-être se sont-ils trompés de chemin ?

Non, c'est la bonne ! Au loin, l'ovule apparaît comme un astre flottant légèrement au-dessus de la paroi du pavillon de la trompe. Il est vingt fois plus gros qu'un spermatozoïde (flagelle compris).

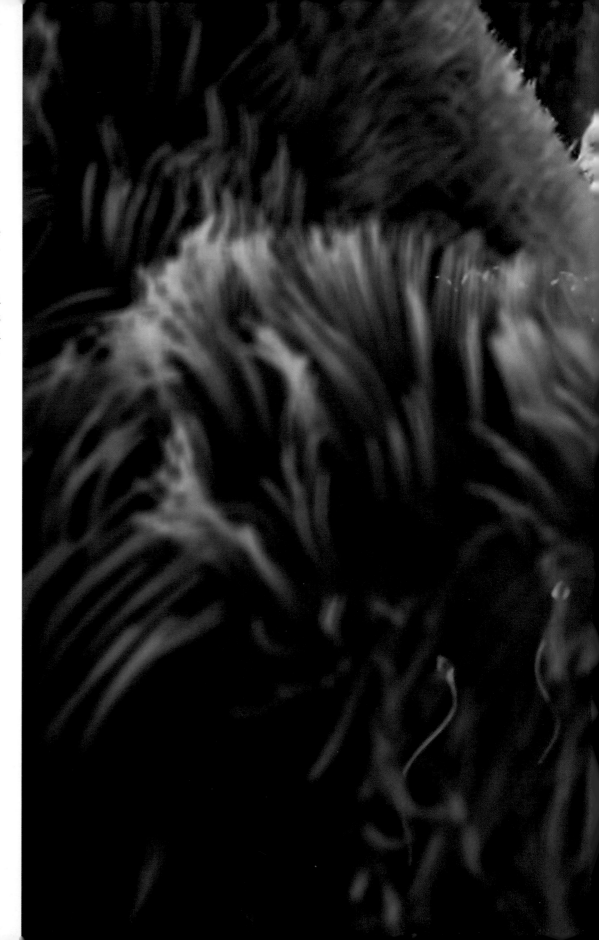

Lentement,
l'ovule se laisse
glisser le long
de la trompe
à la rencontre des
spermatozoïdes.

La course vers la vie

La compétition autour de l'ovule

Une centaine de spermatozoïdes s'agitent autour du halo de cellules nourricières qui entoure l'ovule, et tentent d'y entrer. Ils semblent minuscules par rapport à l'ovule, et il leur faut déployer encore beaucoup d'énergie pour se frayer un passage à travers sa coque protectrice... Les concurrents malheureux, qui ne parviennent pas à franchir cette barrière de protection, sont éjectés et condamnés à mourir. Les autres doivent aller vite, toujours plus vite... Mille battements de flagelle sont nécessaires à un spermatozoïde pour le faire avancer de 1 cm environ. Comme c'est le plus rapide qui gagne, l'activité est à son comble !

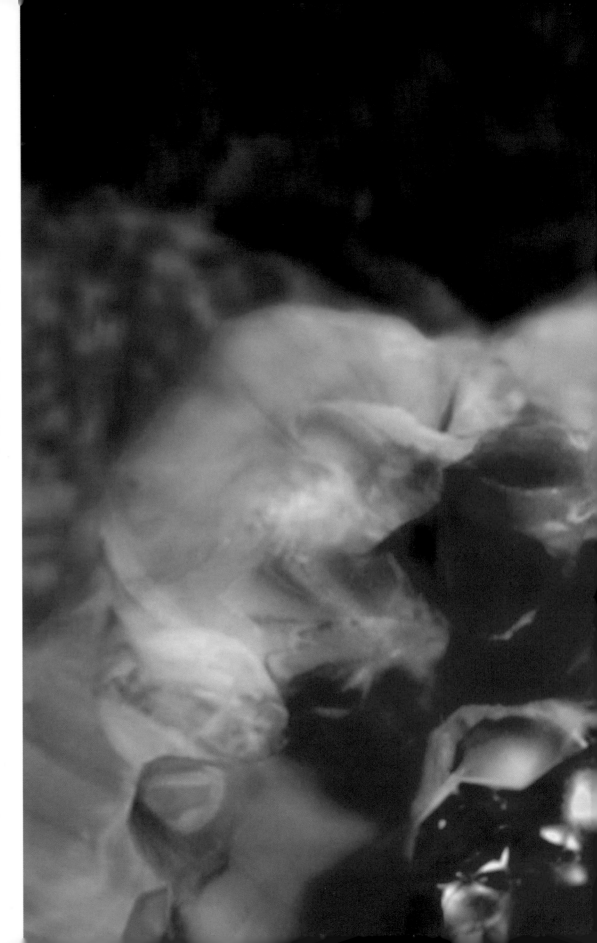

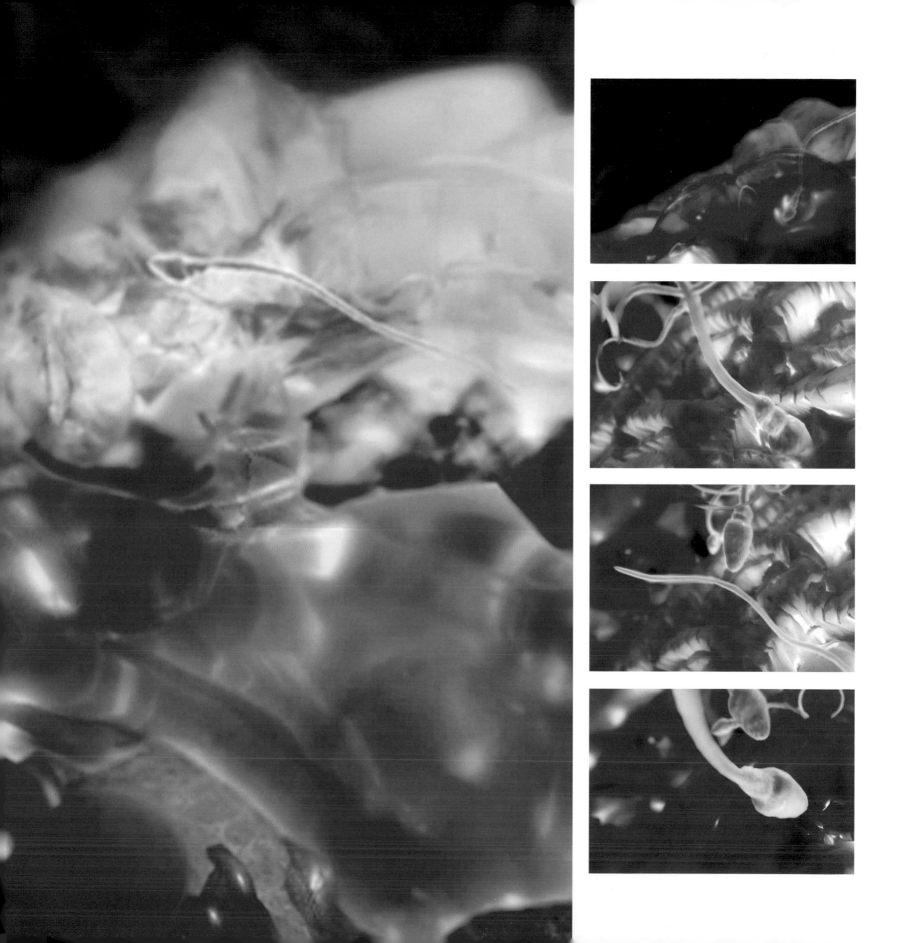

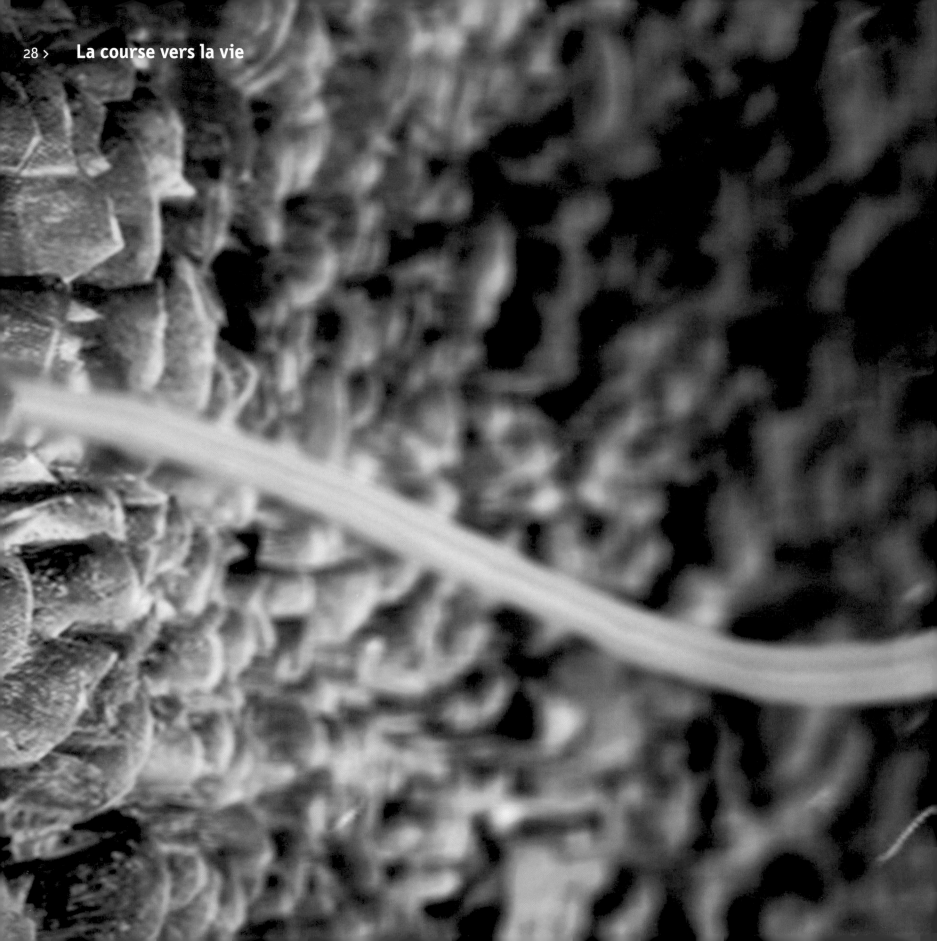

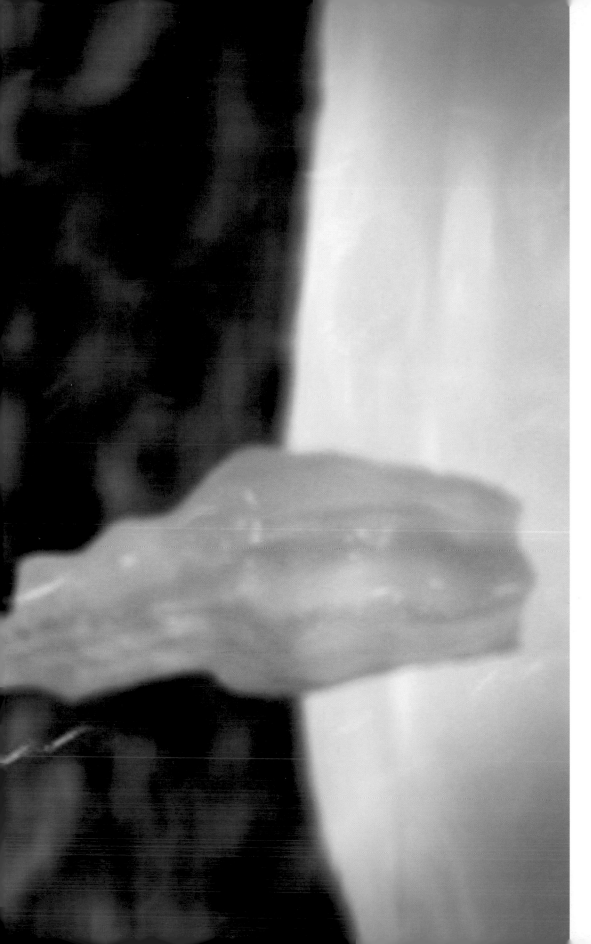

De la fusion naît la vie

Un peu à la manière de la mèche d'une perceuse, tous les spermatozoïdes tentent de trouver la « faille » qui leur permettra de féconder l'ovule. Soudain, la tête de l'un d'eux disparaît, son flagelle restant encore visible quelques secondes. Puis le spermatozoïde « élu » va demeurer bloqué en grande partie dans l'épaisseur de la coque constituée de minuscules tentacules. Et seule la tête, qui contient les chromosomes, va poursuivre sa course et pénétrer dans l'ovocyte.

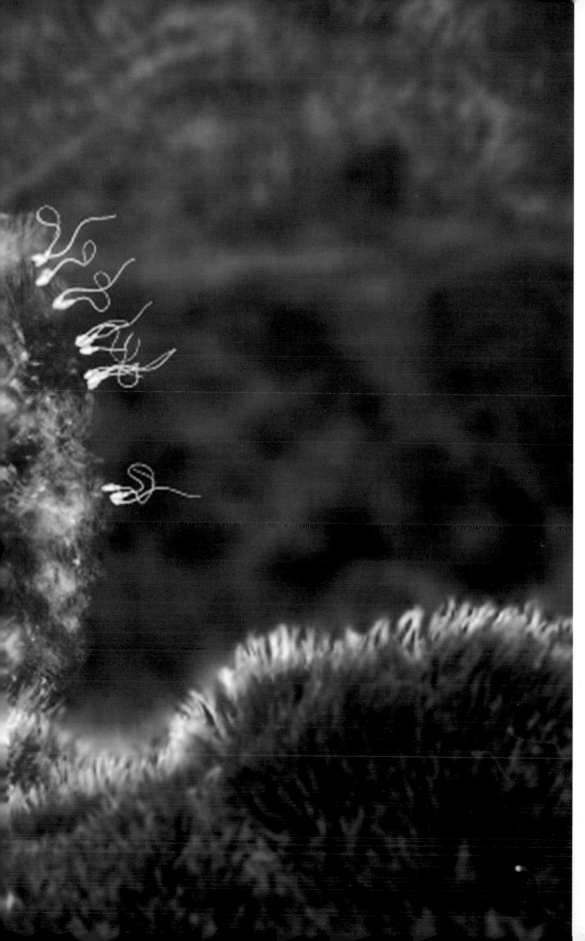

Une citadelle désormais imprenable

La tête du spermatozoïde « gagnant » a libéré des enzymes qui grignotent les protéines de la coque protectrice de l'ovule. Instantanément, celle-ci change de couleur, de texture et de polarité ; elle se couvre de granules, empêchant désormais toute nouvelle intrusion. Les spermatozoïdes qui l'entouraient encore sont expulsés ou retombent, à bout de force.

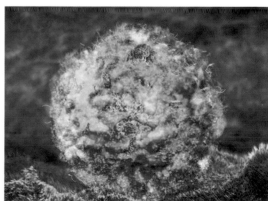

C'est le début
de la vie,
la création d'une
potentialité d'être
humain.
Dix-huit heures
se sont écoulées
depuis le début
de notre histoire.

La course vers la vie

Un trésor bien gardé

Au terme de sa traversée de la coque, le sperma-tozoïde atteint la membrane de l'ovule qu'il pénètre sans difficulté. Une fois entré, il se libère de son flagelle et de son noyau qui contient son patrimoine génétique. Ce noyau pénètre plus avant dans le cytoplasme, la matière intracellu-laire de l'ovule, afin de rejoindre le noyau de celui-ci.

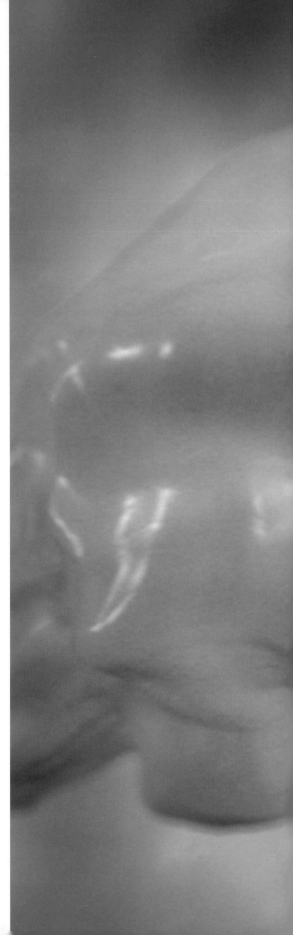

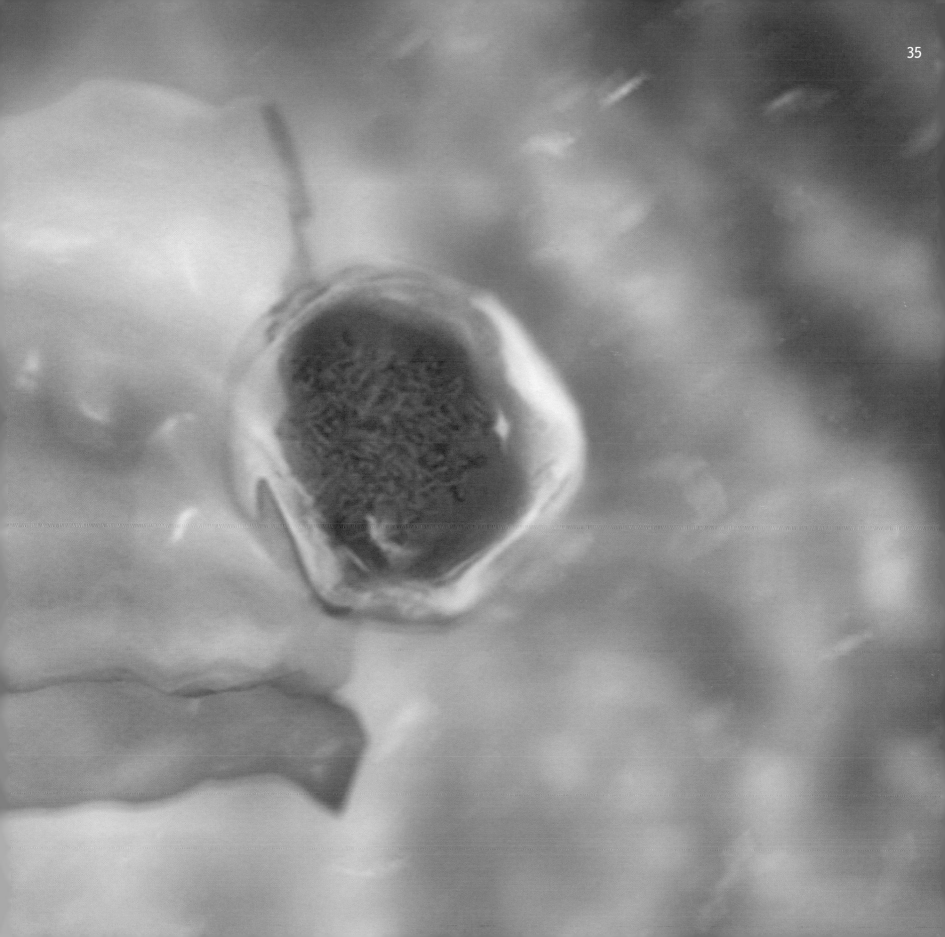

Les deux noyaux
se rapprochent
l'un de l'autre,
se touchent,
puis fusionnent
pour n'en former
qu'un. Ce dernier
contient tout
le code génétique
du nouvel être
à venir.

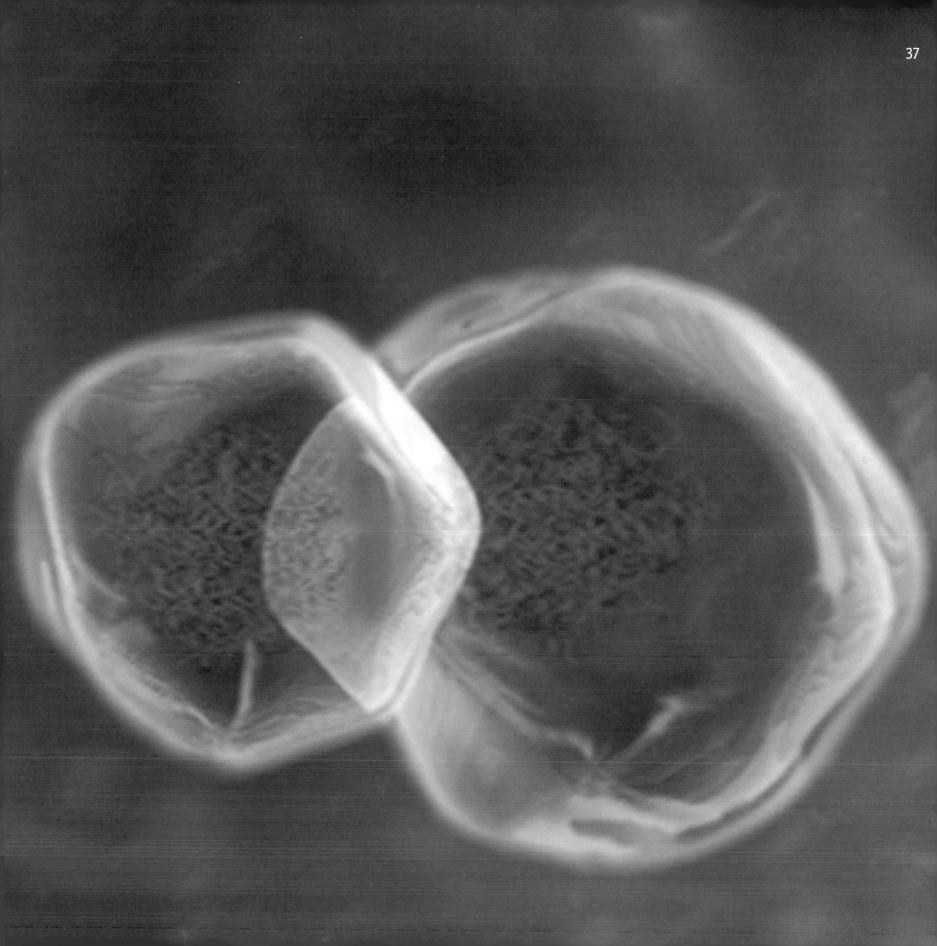

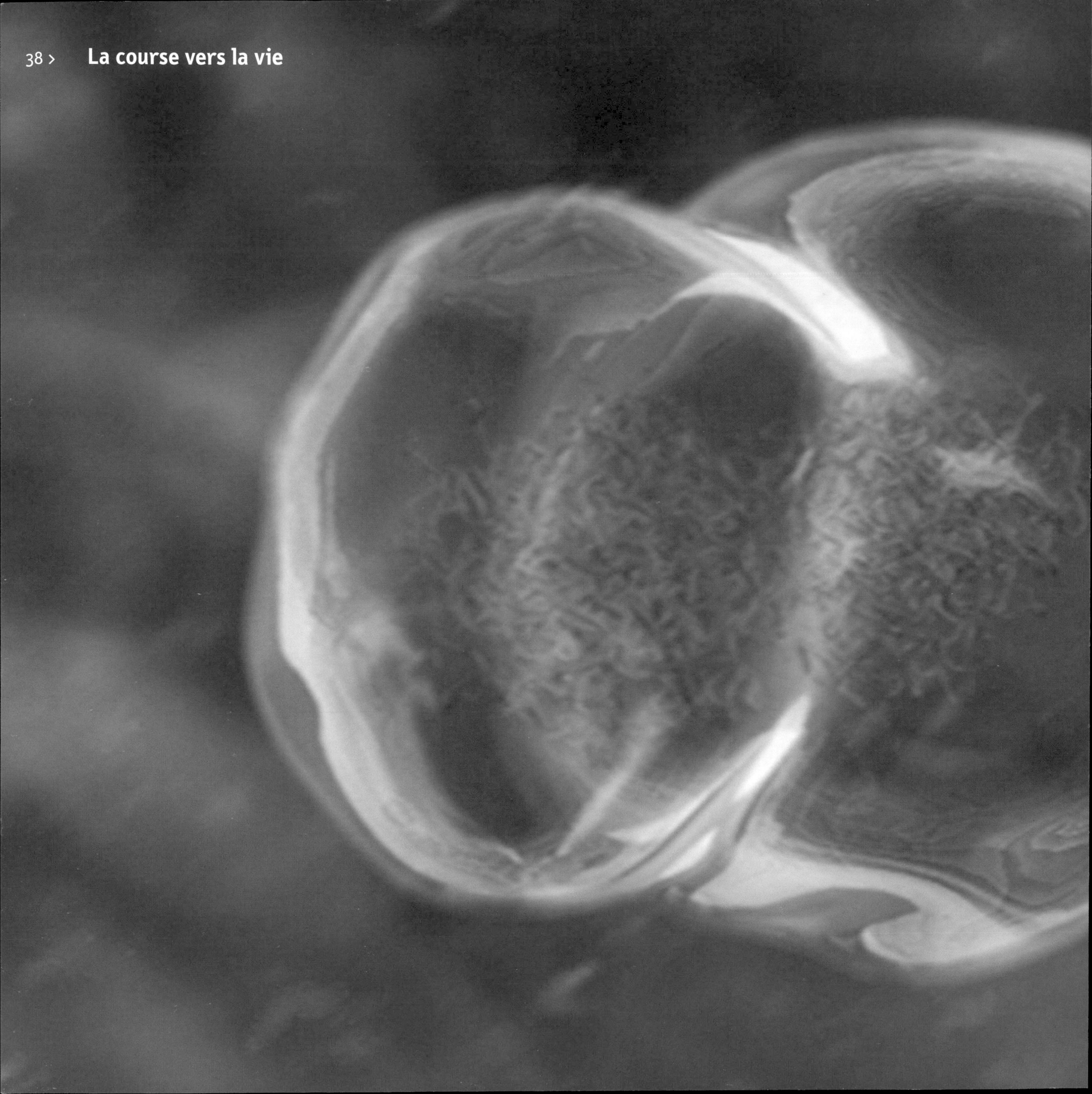

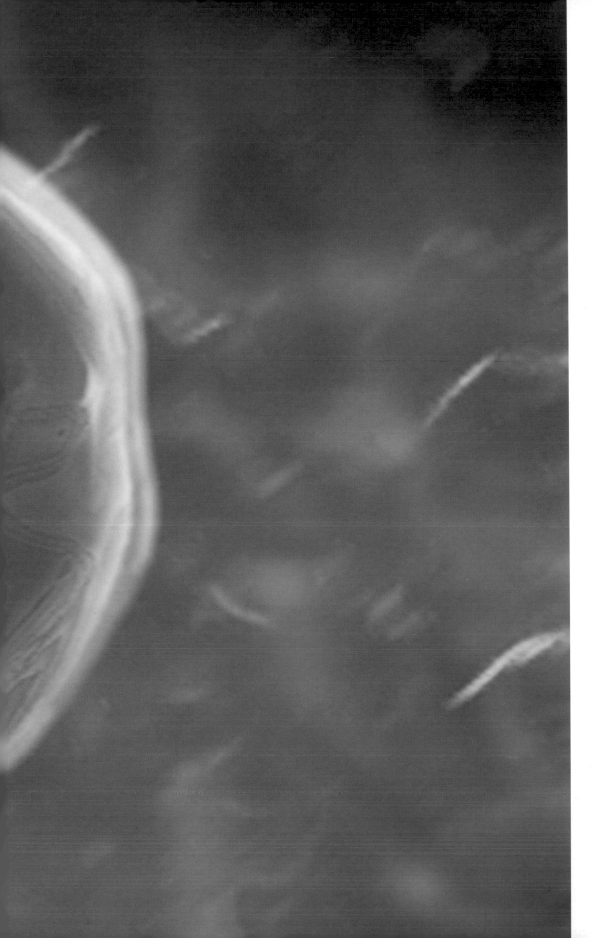

Un œuf unicellulaire

La fécondation s'est faite. L'ovule est désormais un œuf unicellulaire.

Cette entité rappelle les premières formes de vie apparues sur Terre il y a plus de 3 milliards d'années : les bactéries – premiers organismes unicellulaires.

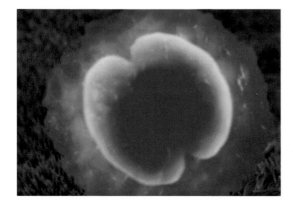

La multiplication des cellules

Commence alors le processus de division cellulaire. Chaque gène est recopié à l'identique à partir de substances chimiques déjà présentes dans l'ovule fécondé, puis le noyau se divise en deux nouveaux noyaux au contenu génétique similaire, et la cellule unique de l'œuf se divise aussi. C'est la mitose, le premier moyen de reproduction inventé par la nature il y a deux milliards d'années. Ainsi se sont multipliées sur Terre les premières bactéries. Notre vie intra-utérine résume d'ailleurs en accéléré toute l'évolution de la vie sur Terre, du premier organisme unicellulaire à l'apparition du genre humain.

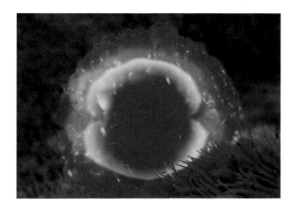

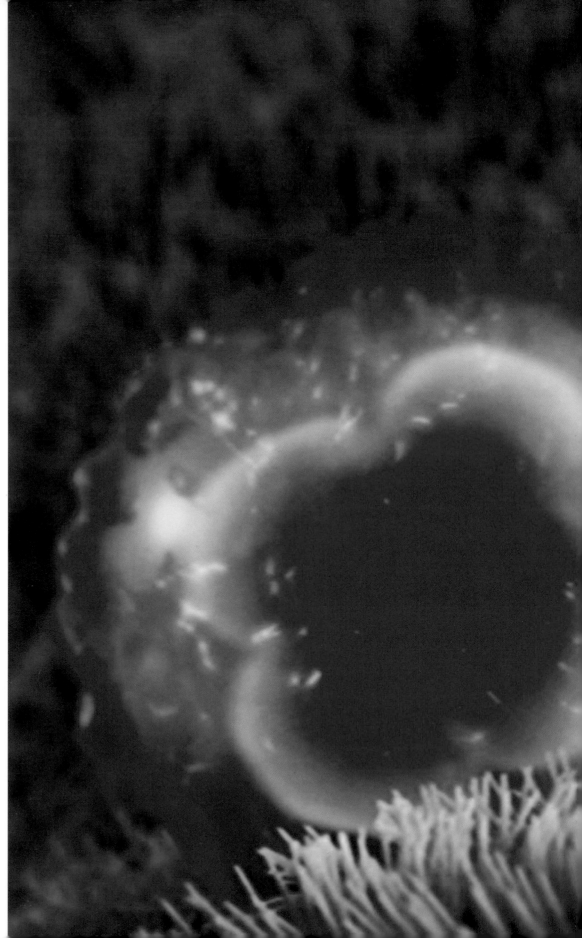

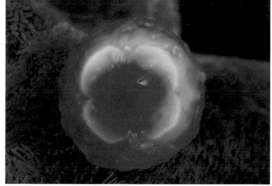

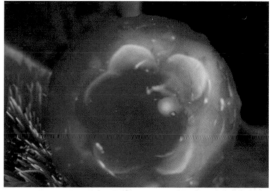

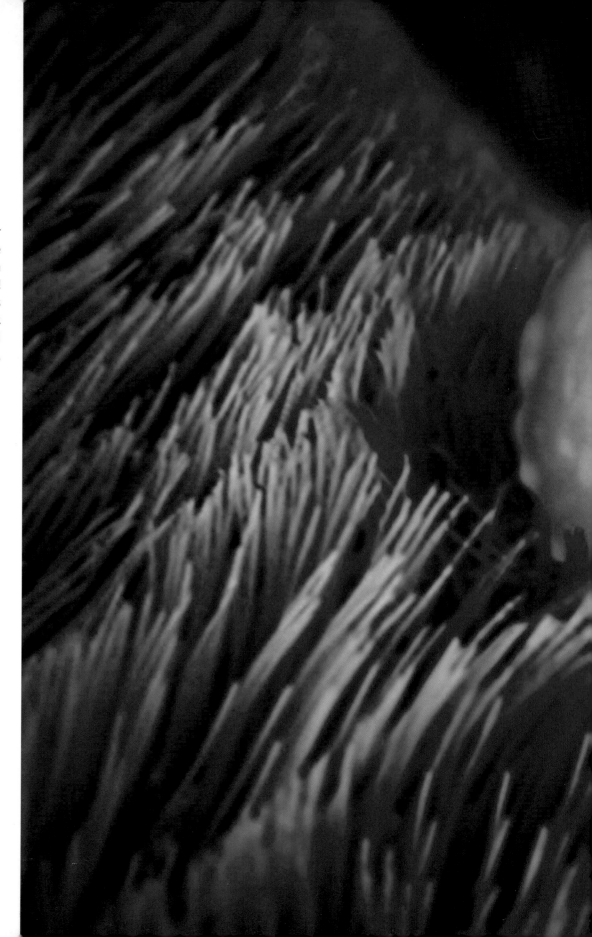

La course vers la vie

En route vers l'utérus !

Première nécessité pour l'œuf : aller s'implanter
dans l'utérus. Refaire en partie et en sens inverse
le chemin emprunté par les spermatozoïdes. Un
voyage risqué d'une dizaine de centimètres !
L'œuf peut être repoussé par les cils vibratoires
de la trompe à la périphérie de celle-ci ; il peut
aussi se faire piéger dans les replis de la paroi. Il
se produirait alors une grossesse extra-utérine,
et le bébé ne verrait jamais le jour.

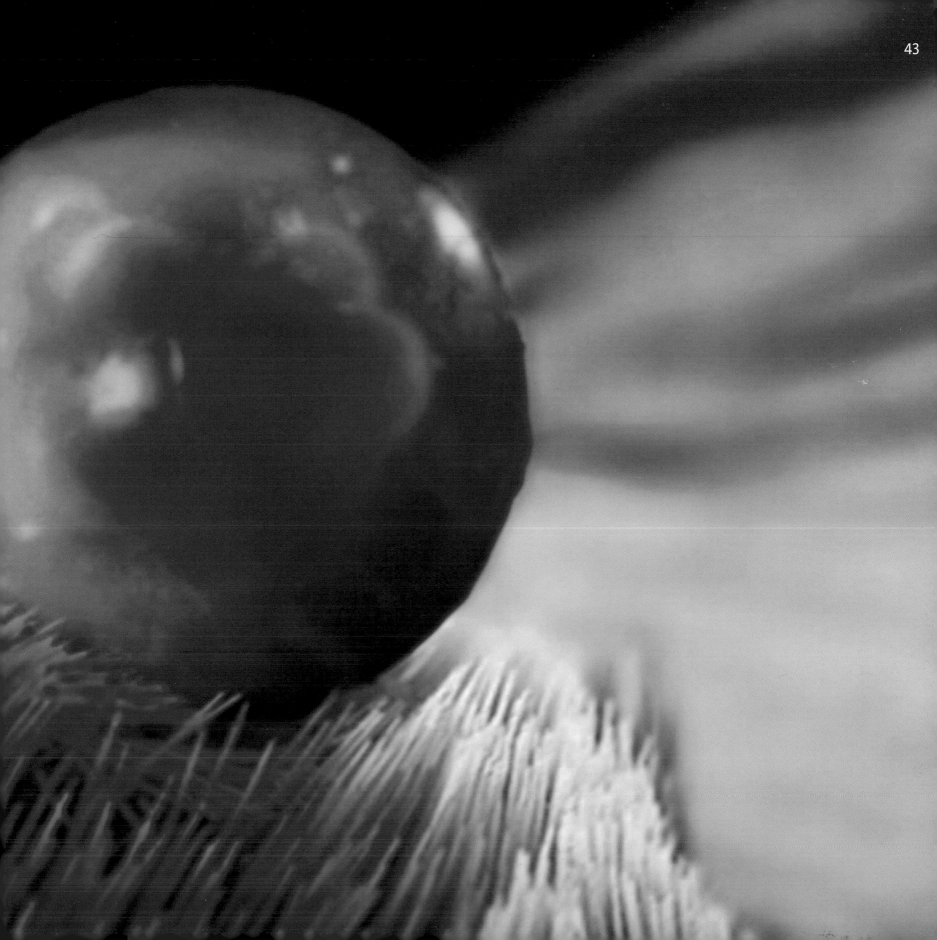

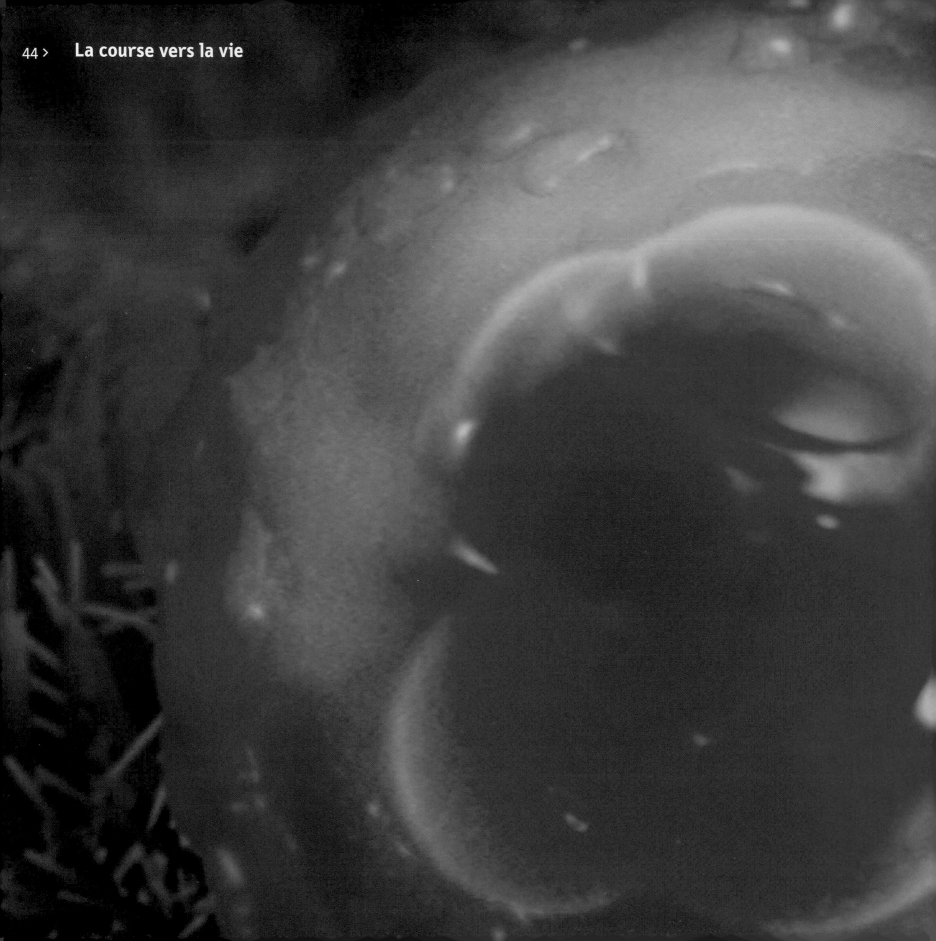

Tout en progressant, l'œuf se divise en quatre, huit, seize cellules, etc., sans que sa taille change.

À la recherche d'un abri

L'œuf est enfin arrivé à l'extrémité inférieure de la trompe. Devant lui s'étend une cavité dont l'immensité est telle qu'on ne perçoit pas ses limites. C'est l'utérus, muscle creux en forme de poire qui mesure en fait quelque 6 cm de long.

Soudain, une ondulation de la surface de la trompe « pousse » l'œuf, qui tombe lentement dans l'utérus. Dans sa chute, il se dépouille de son halo de cellules nourricières qui, jusque-là, lui avait fourni les ressources énergétiques nécessaires à son développement.

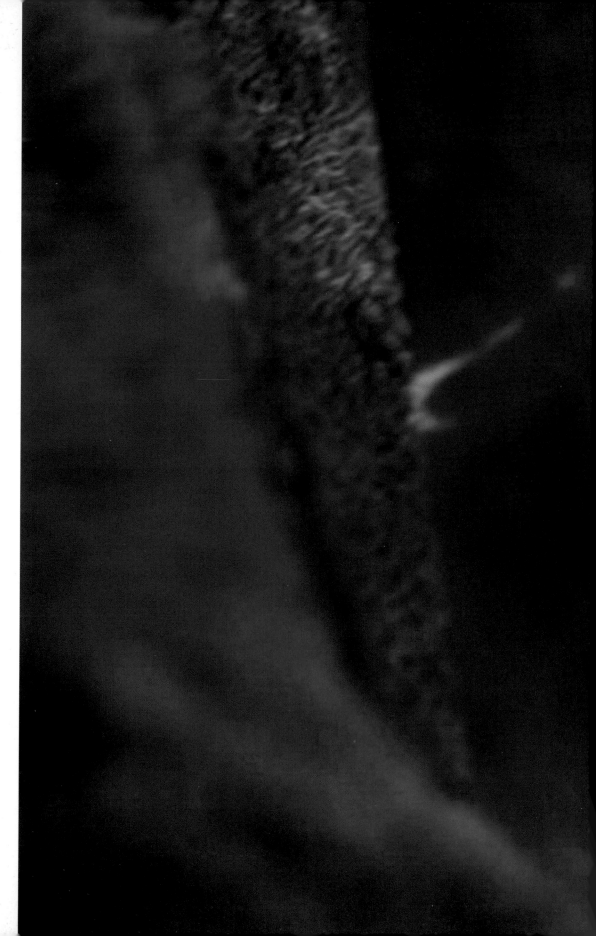

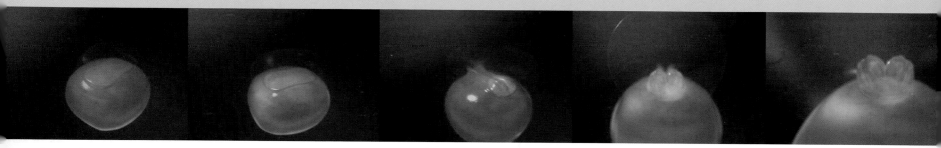

du 9ᵉ au 27ᵉ jour

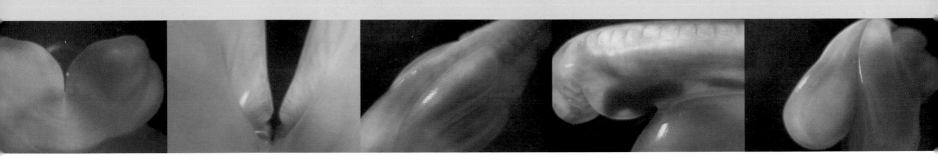

Des cellules à l'embryon

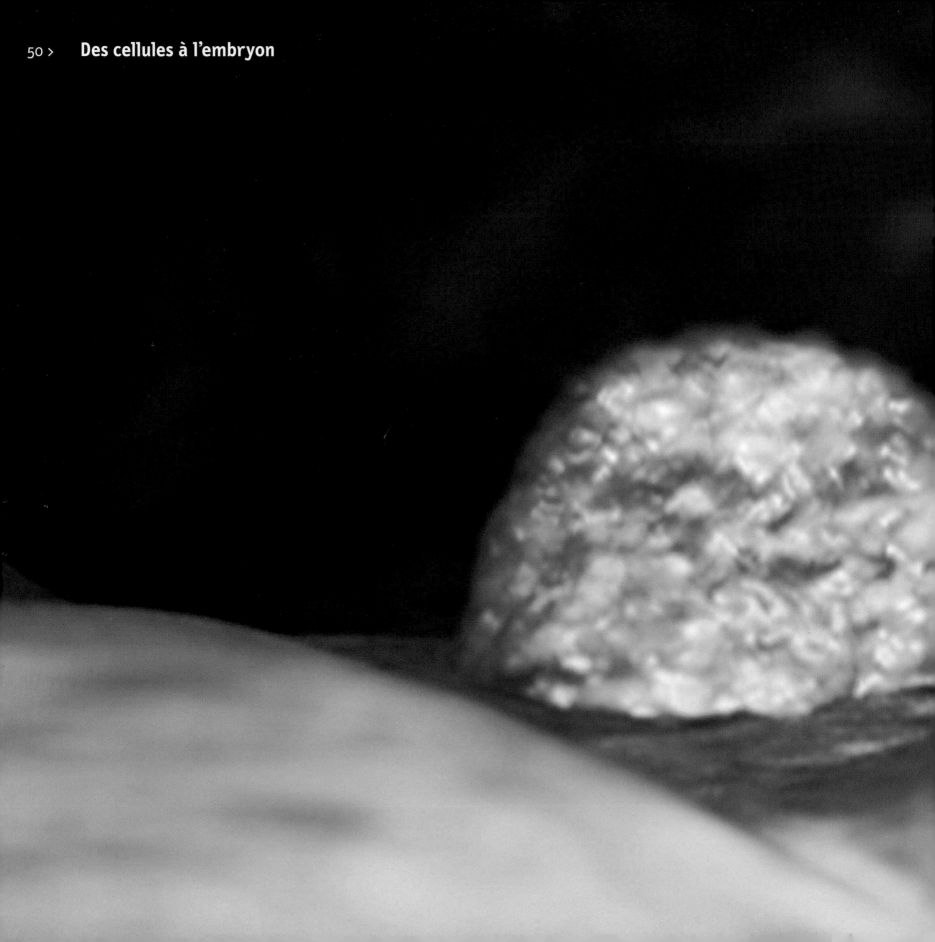

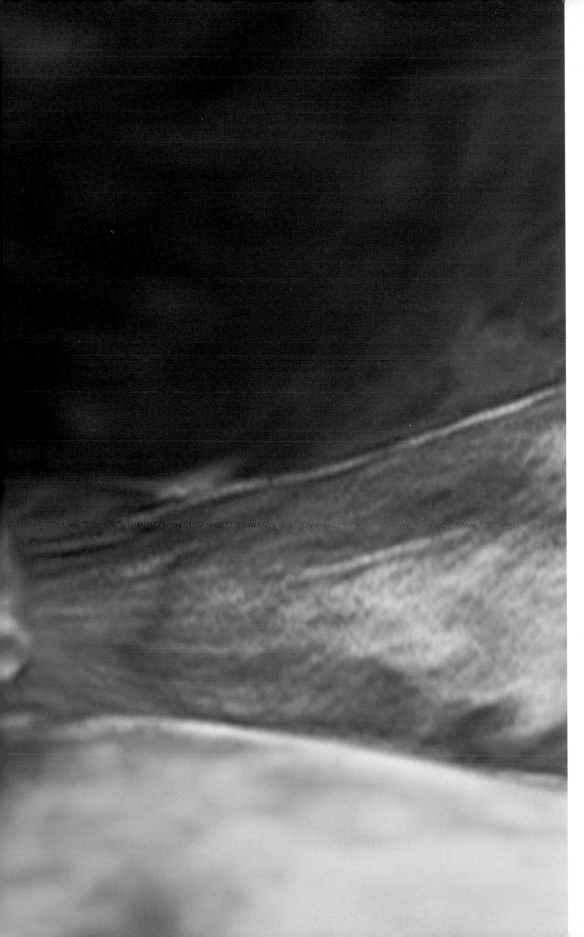

Tout se joue au début

Jusqu'à 8 semaines, les principales fonctions de
l'embryon vont se mettre en place. Ces premières
étapes sont extrêmement délicates, car la plus
infime modification du programme peut se tra-
duire par des anomalies lourdes qui entraîne-
raient une fausse-couche. En effet, à ce stade de
la grossesse se déroulent plusieurs événements
majeurs : la nidation – durant laquelle le bouton
embryonnaire va subir d'importantes modifica-
tions –, la gastrulation – lors de laquelle l'embryon didermique (possédant deux couches de
cellules) est transformé en un embryon tridermique (possédant trois couches de cellules) –, la
neurulation – la formation du système nerveux –
et enfin la délimitation de l'embryon, c'est-à-dire
son passage d'une forme plane à une forme plus
« humaine ».

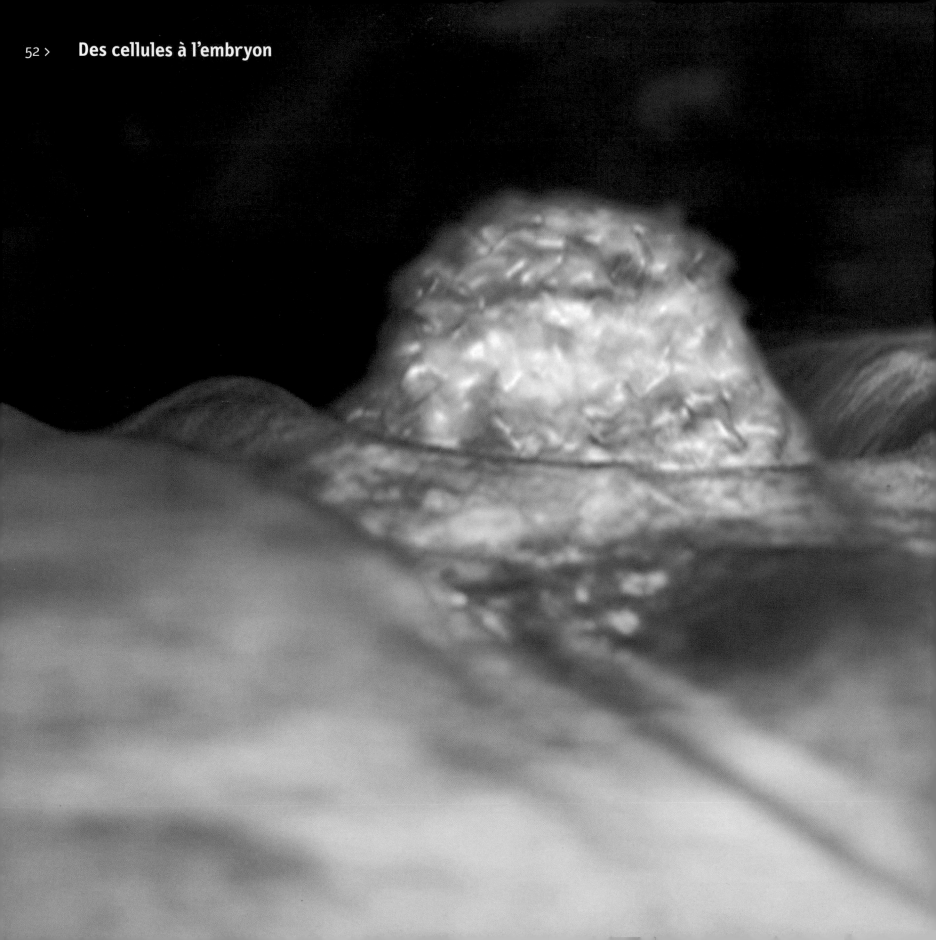

Petit à petit, l'œuf fait son nid

Du 9ᵉ au 14ᵉ jour, les cellules extérieures de l'œuf creusent la muqueuse utérine, lui permettant de s'y enfouir peu à peu. L'intérieur de l'œuf n'est plus uniforme. En effet, les cellules ont commencé à se différencier : une cavité s'est creusée, et un amas de cellules constitue désormais ce que l'on appelle le « pôle » ou « bouton embryonnaire ».

Pendant la nidation, ce pôle embryonnaire se creuse d'une seconde cavité, qui deviendra la cavité amniotique, et les cellules entourant l'œuf se multiplient, migrent et se transforment pour constituer le trophoblaste, futur placenta.

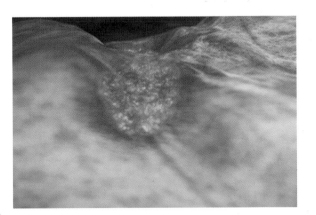

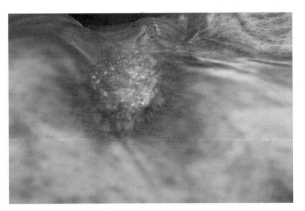

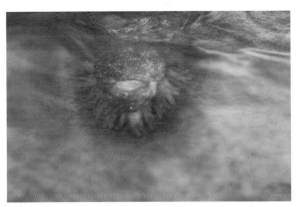

L'ancrage au port maternel

Deux semaines après le début de notre histoire, l'œuf est complètement implanté dans la muqueuse utérine. Le bouton embryonnaire est relié au futur placenta par un pédicule qui est le futur cordon ombilical. Il baigne dans une grande cavité, future cavité amniotique.

L'embryon est prêt pour continuer ses transformations.

Tout est là...

L'embryon est maintenant constitué de trois feuillets de cellules. On parle d'embryon tridermique. Il nous semble si loin de nous... et pourtant tout est là. En effet, de ces trois feuillets va découler la formation de tous nos organes, comme pour tous les animaux :

— le feuillet supérieur donnera naissance au cerveau, à la moelle, aux nerfs, à la peau, aux ongles, aux dents, aux cheveux et aux organes des sens ;

— le feuillet intermédiaire donnera naissance au cœur, au sang, aux os et aux muscles ;

— le feuillet inférieur donnera naissance à la langue, au système urinaire, à l'appareil respiratoire, au foie, à l'estomac et au système digestif.

Certains organes sont issus de deux feuillets. C'est notamment le cas du cerveau.

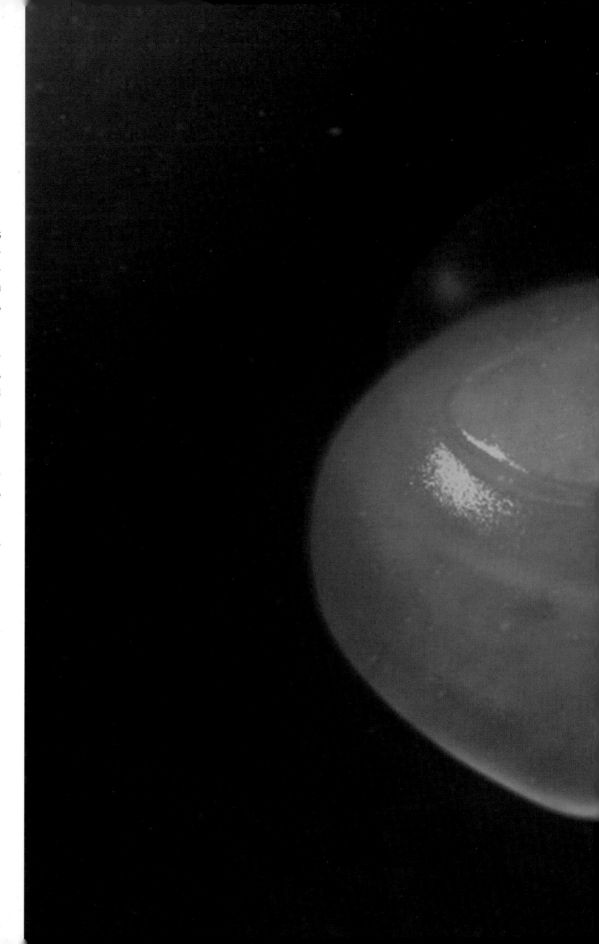

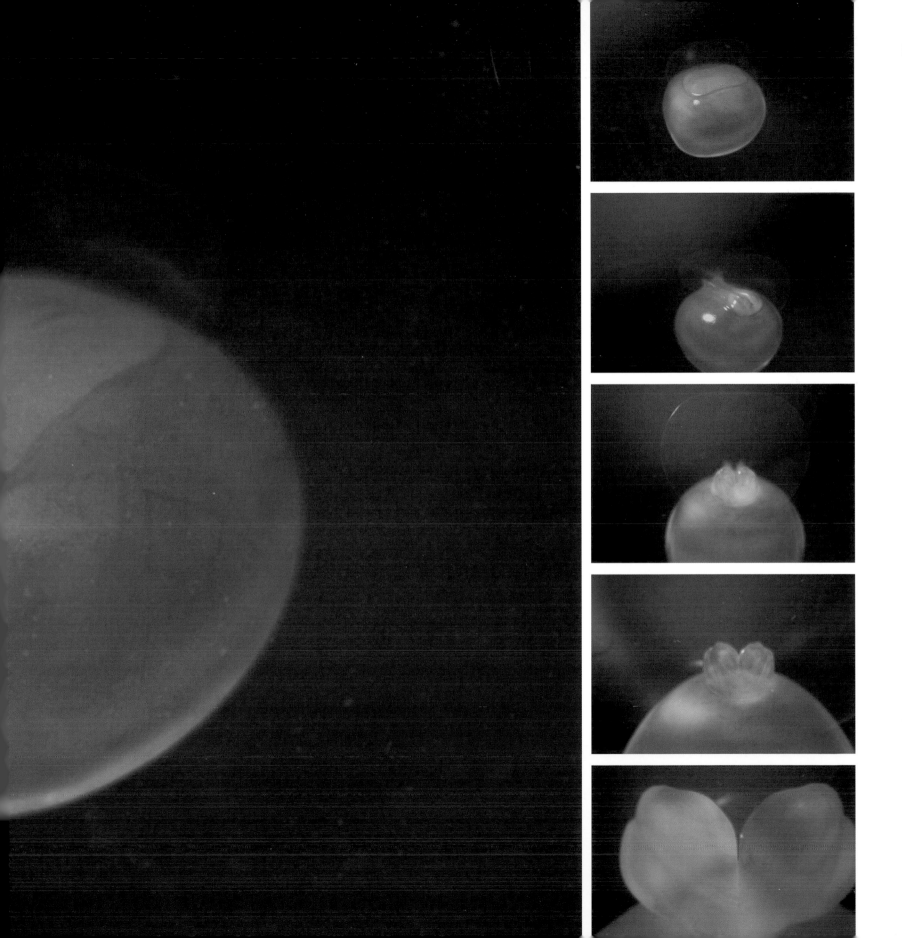

La formation du système nerveux

L'embryon s'est considérablement épaissi. Il repose maintenant au centre de deux poches remplies de liquide. Une incroyable cascade de transformations l'agite. Cela commence par la formation du système nerveux. Sur le dos de l'embryon, une gouttière se creuse. Puis, comme un ourlet, elle se referme sur toute sa longueur et devient un tube.

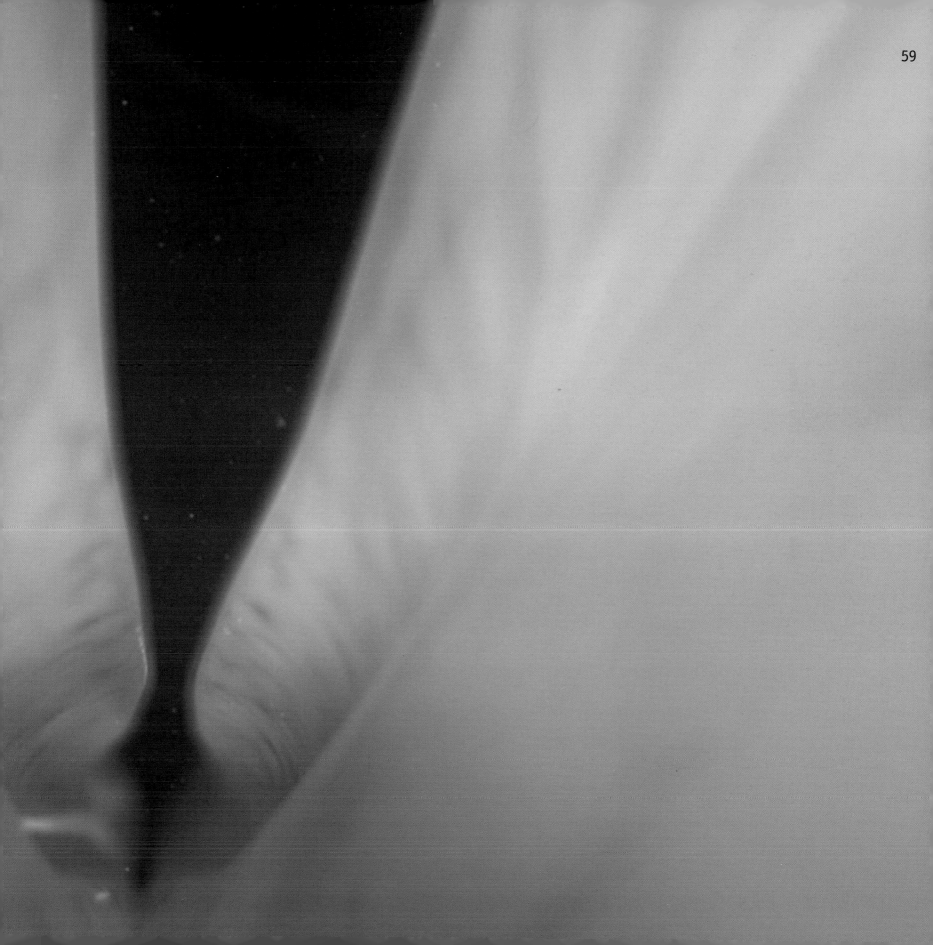

59

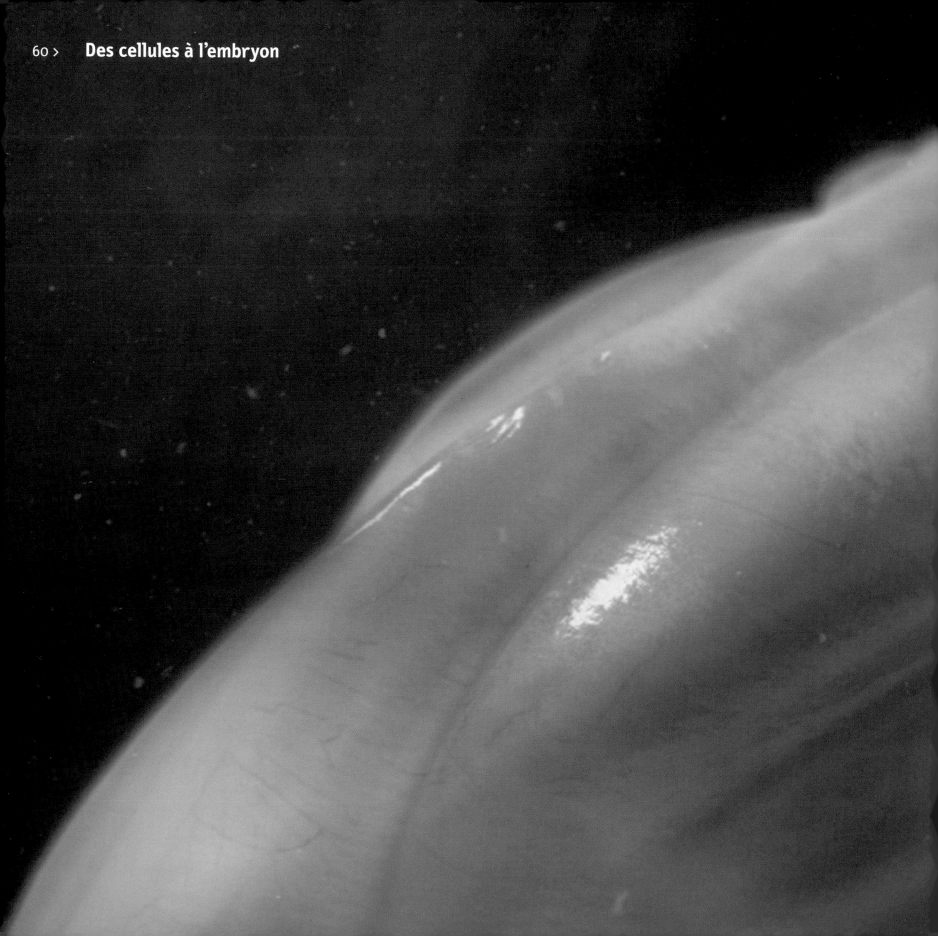

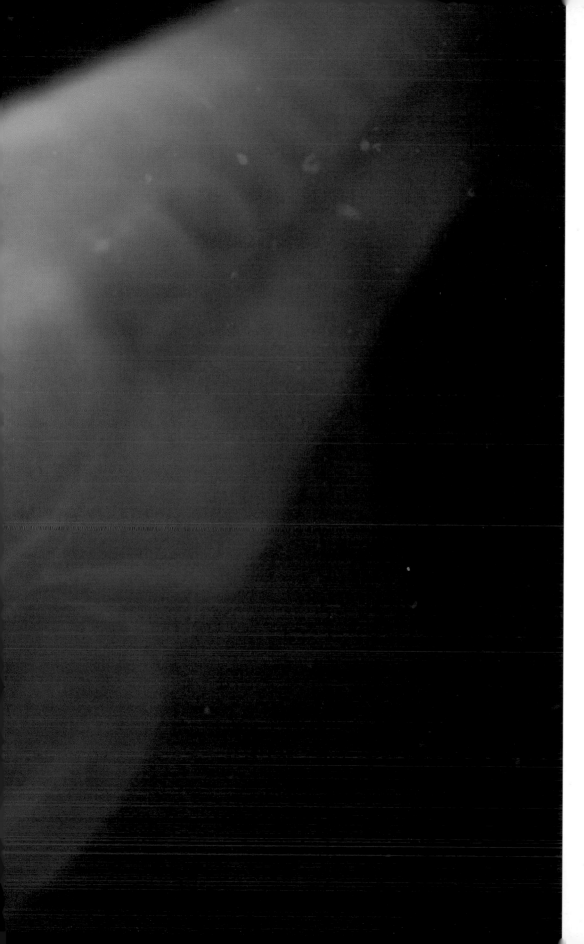

La structure vertébrale se profile

De chaque côté de ce tube, des protubérances apparaissent, toujours plus nombreuses. Ce sont les somites. Elles constituent une première segmentation vertébrale, une ébauche de ce que sera la structure du corps.

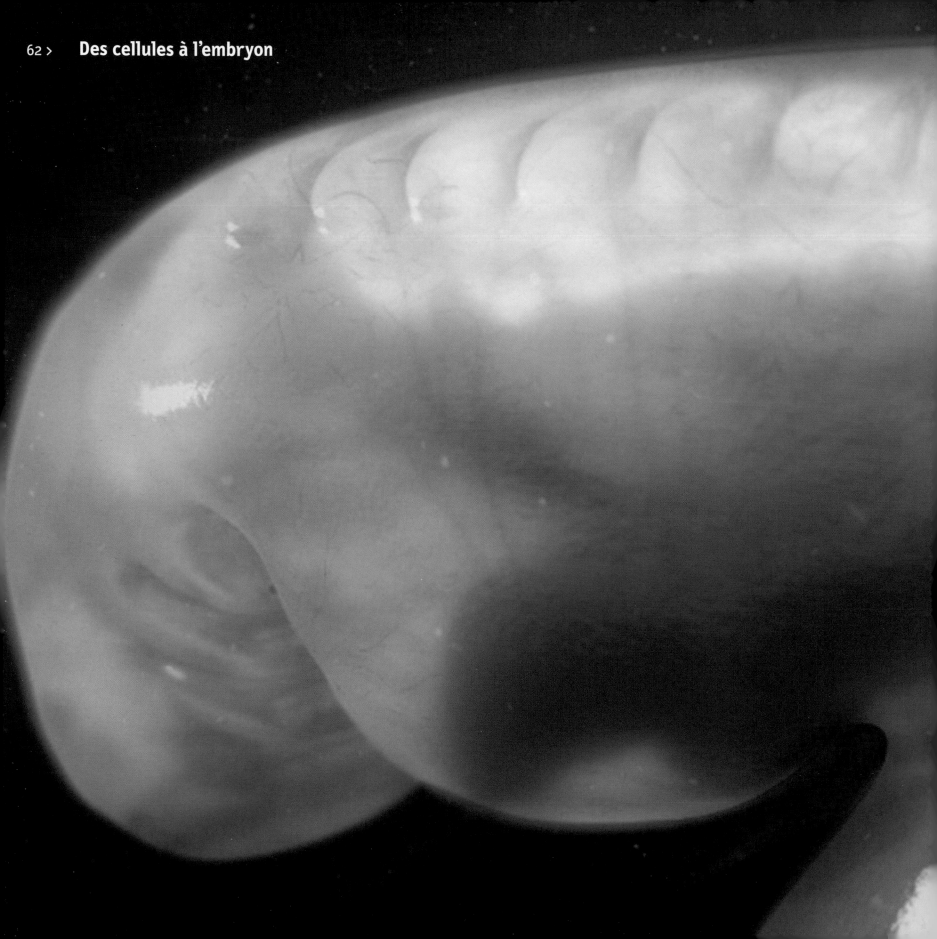

Les organes
commencent
à se développer et
à se différencier.
C'est la structure
globale du corps
qui se dessine...

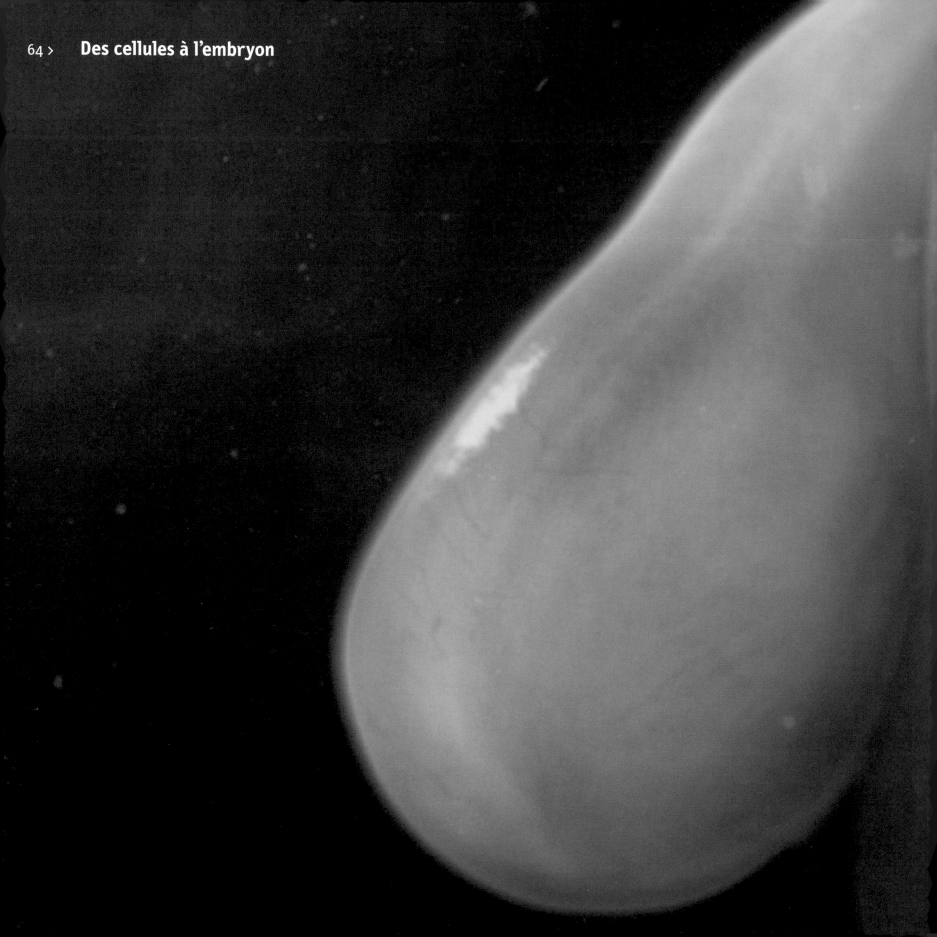

Ces deux
bourrelets géants,
ce sont les futurs
hémisphères
cérébraux...

L'embryon de 28 jours

Une fois ce processus achevé, l'embryon commence à s'enrouler sur lui-même. Il ressemble maintenant à une petite virgule. Un système circulatoire s'installe : un cœur rudimentaire, des vaisseaux, un cordon ombilical relié au placenta. De profil, l'embryon évoque tour à tour la silhouette d'un poisson, celle d'un batracien puis celle d'un reptile : il repasse par les étapes de l'évolution des espèces. D'ailleurs, il lui reste encore une queue qu'il perdra bientôt.

En moins de quatre semaines, l'œuf est passé d'une seule cellule à plusieurs millions de cellules, parfaitement organisées entre elles. Aussi étonnant que cela puisse paraître, cette petite chose est l'architecte de sa propre construction.

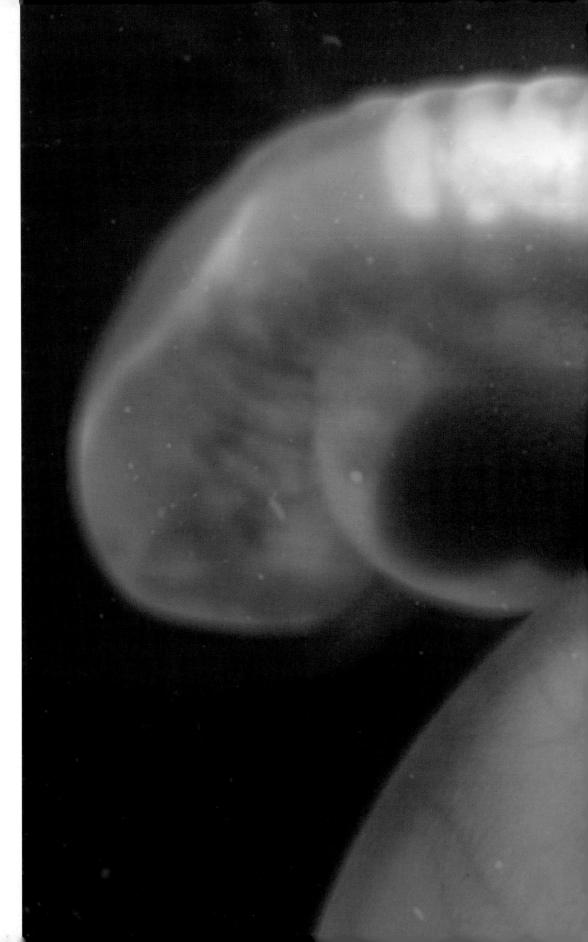

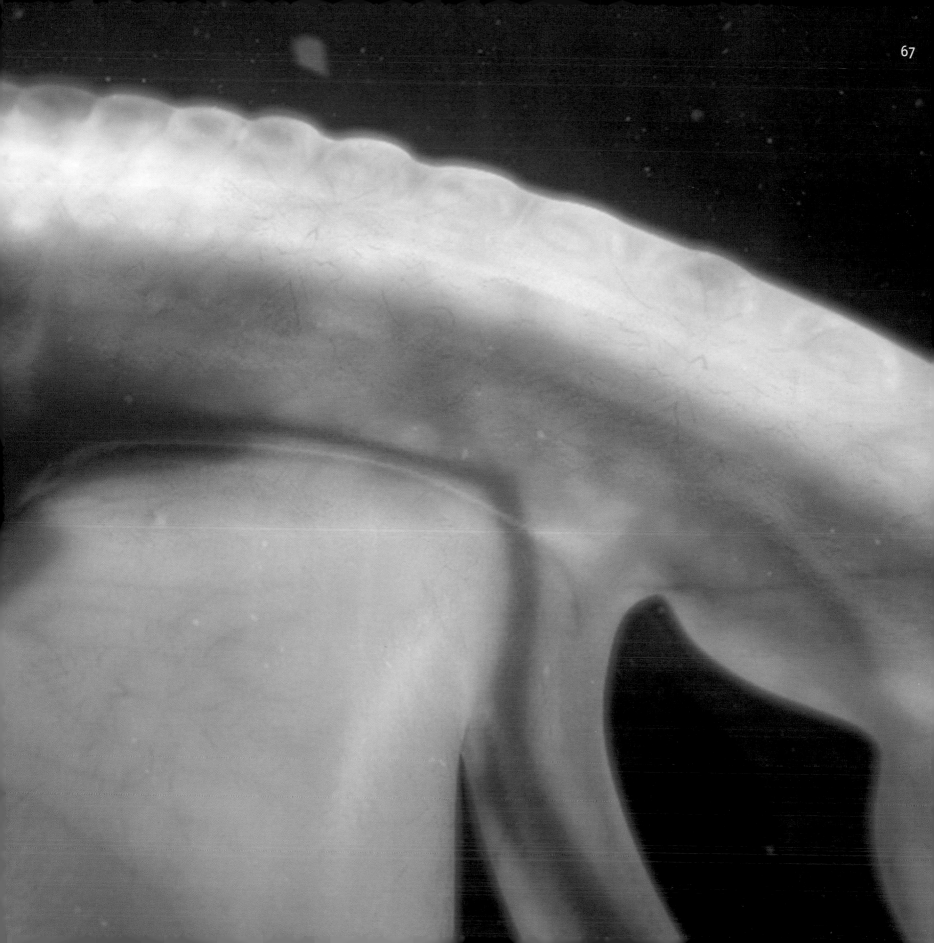

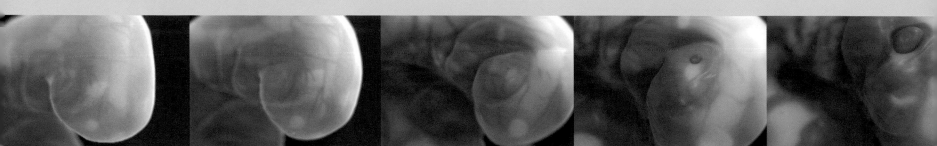

du 28e au 60e jour,
2e mois

Bébé prend forme

Bébé prend forme

De multiples transformations

Dans l'utérus, l'embryon continue à changer rapidement d'apparence. Durant les quatre semaines
à venir, une multitude de transformations vont
modeler ce petit être aquatique.

En effet, entre le 27e et le 60e jour, les organes
éclosent et toutes les fonctions vitales se mettent en place.

Puisant, via le placenta, nourriture et énergie
dans le corps de sa maman, l'embryon prend lentement forme humaine.

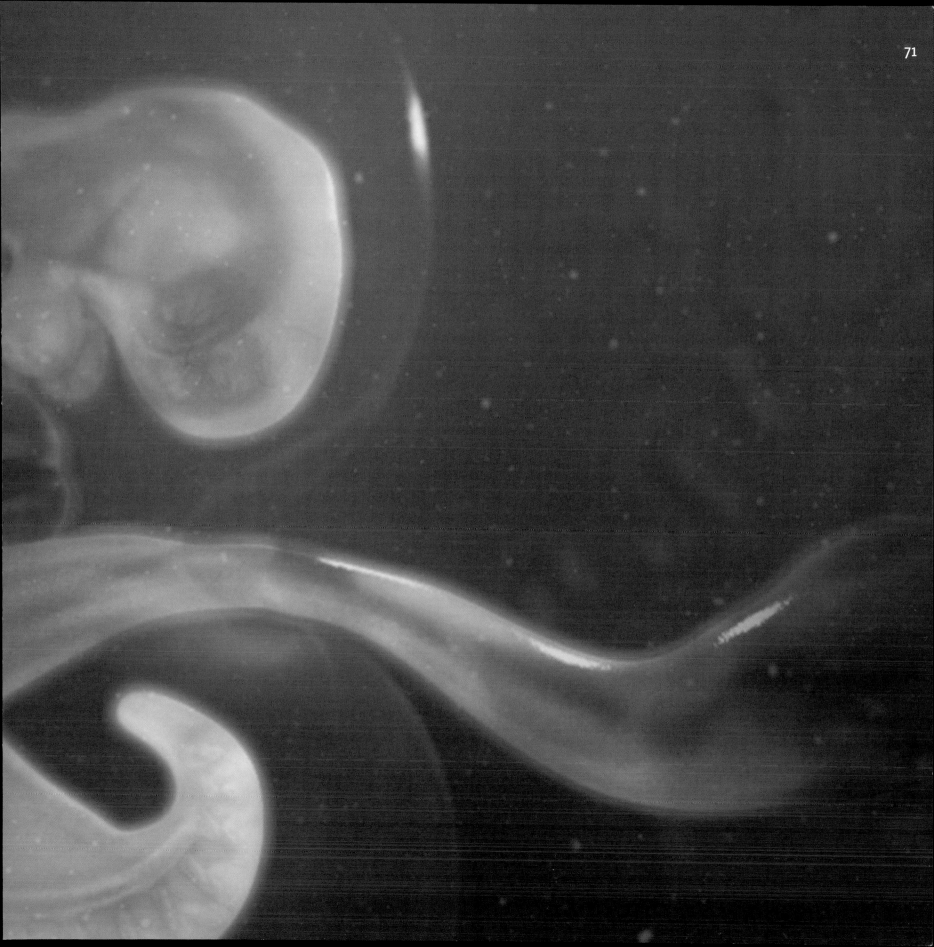

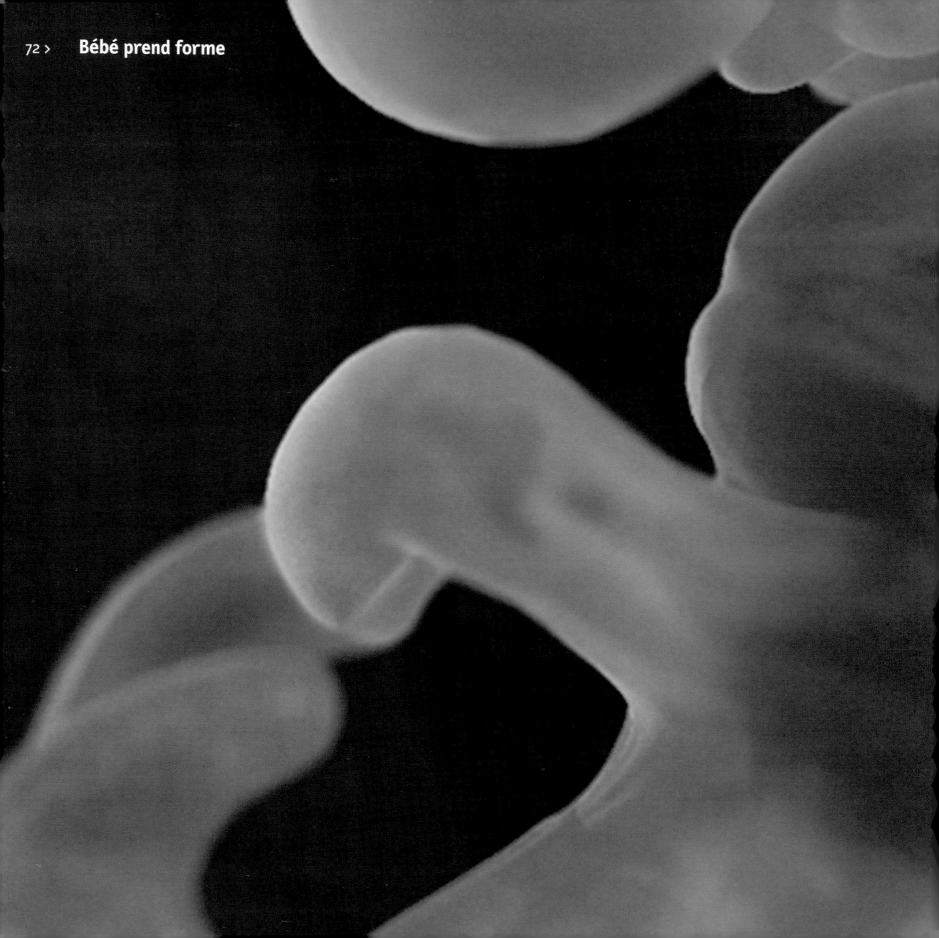

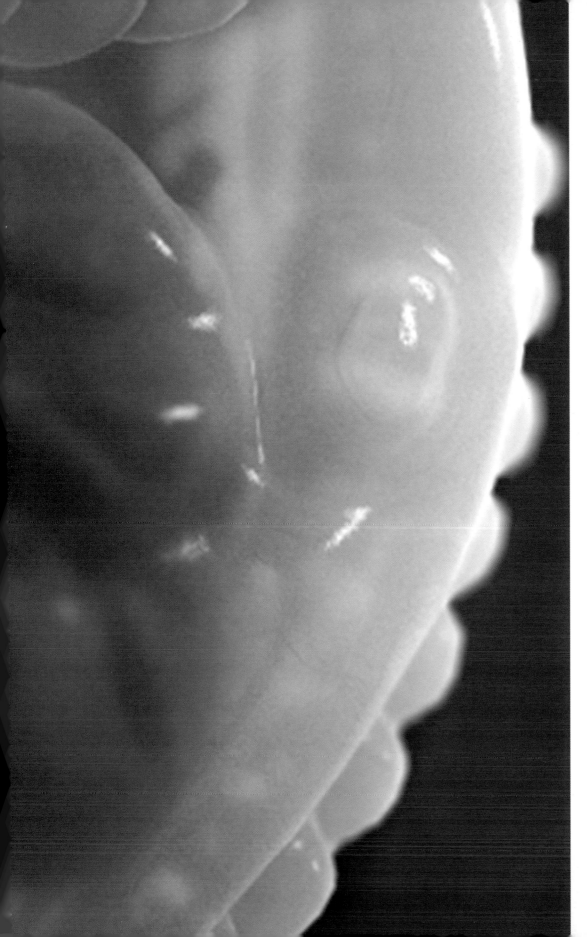

Le cœur se met à battre

Rouge et translucide, le cœur est constitué de deux tubes qui fusionnent et subissent un mouvement d'inflexion pour prendre la forme d'un S. La partie supérieure de ce S commence à pomper tandis que sa partie inférieure se met à aspirer. Les pulsations deviennent rapides et rythmiques.

La pompe du cœur est enclenchée avant même qu'une circulation sanguine n'existe véritablement.

Ce cœur est énorme proportionnellement au reste du corps de l'embryon, au point qu'il semble lui être extérieur. Ce minuscule être en formation – il ne mesure guère que 4 mm – semble enroulé autour de cet énorme organe, comme un hippocampe.

Bébé prend forme

Une ébauche de visage

Pour le moment, le visage de l'embryon est constitué d'une cavité entre deux plis, autour de laquelle s'organisent des bourgeons d'organe (yeux, oreilles) qui se déplacent lentement. La loge de l'œil est présente, ainsi que celle de la future oreille, plus bas. Ce visage n'a pas grand-chose d'humain...

Puis, partant des deux côtés de la tête, les yeux – deux taches de cellules foncées – progressent vers le milieu du visage. Dans le même temps, les paupières apparaissent. La loge de l'oreille est encore basse, dans la région du cou. Le visage entier prend forme.

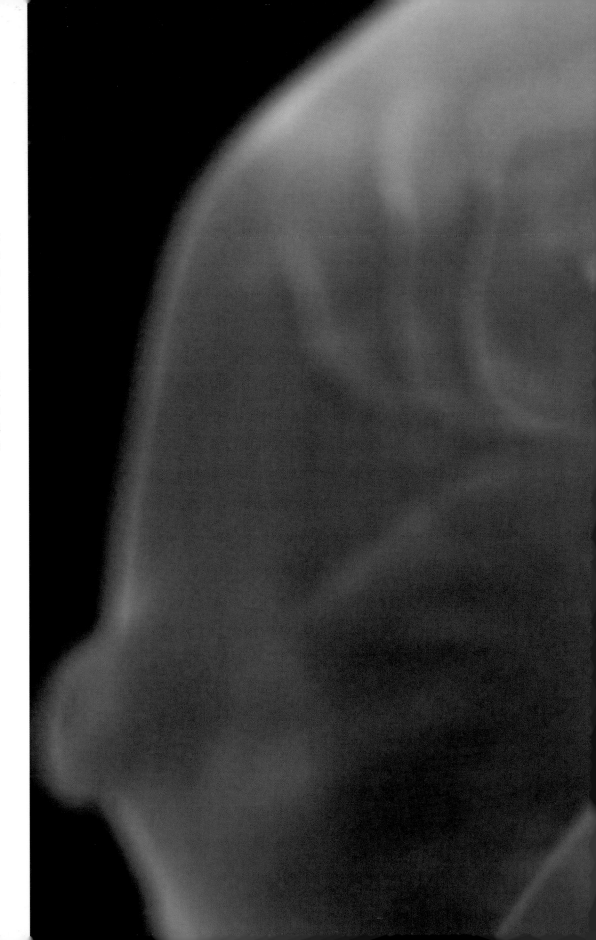

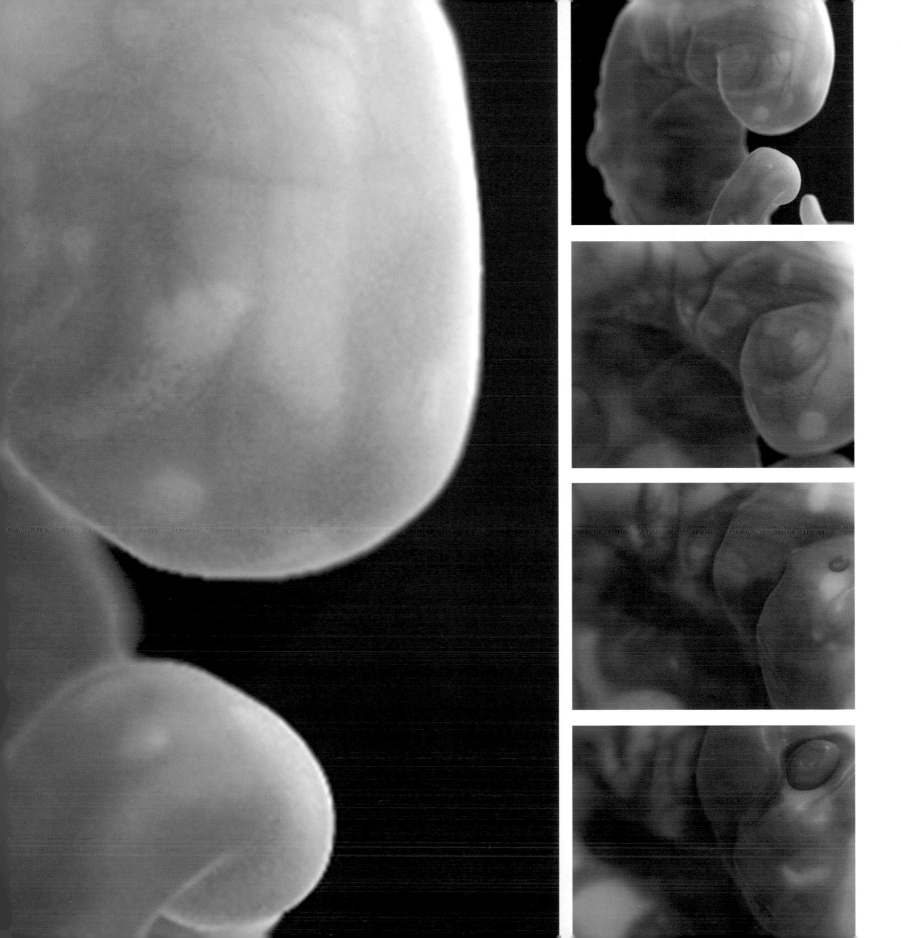

Des bourgeons qui s'épanouissent

À la fin du premier mois, les ébauches de membres supérieurs qui sont apparues comme de simples excroissances vont s'allonger, se segmenter en bras et en avant-bras, tandis que les bourgeons de jambes s'aplatissent graduellement comme des nageoires. Aux extrémités apparaissent des renflements aplatis : une ébauche de main en forme de palette.

La queue de l'embryon est encore proéminente. Elle sera appelée à disparaître à mesure que les bourgeons des futures jambes se développeront.

Peu à peu, les membres se complexifient, tandis que les mâchoires, le front, les lèvres, les yeux et les oreilles continuent de se mettre en place.

Les doigts des mains apparaissent bientôt en transparence, même s'ils sont encore palmés.

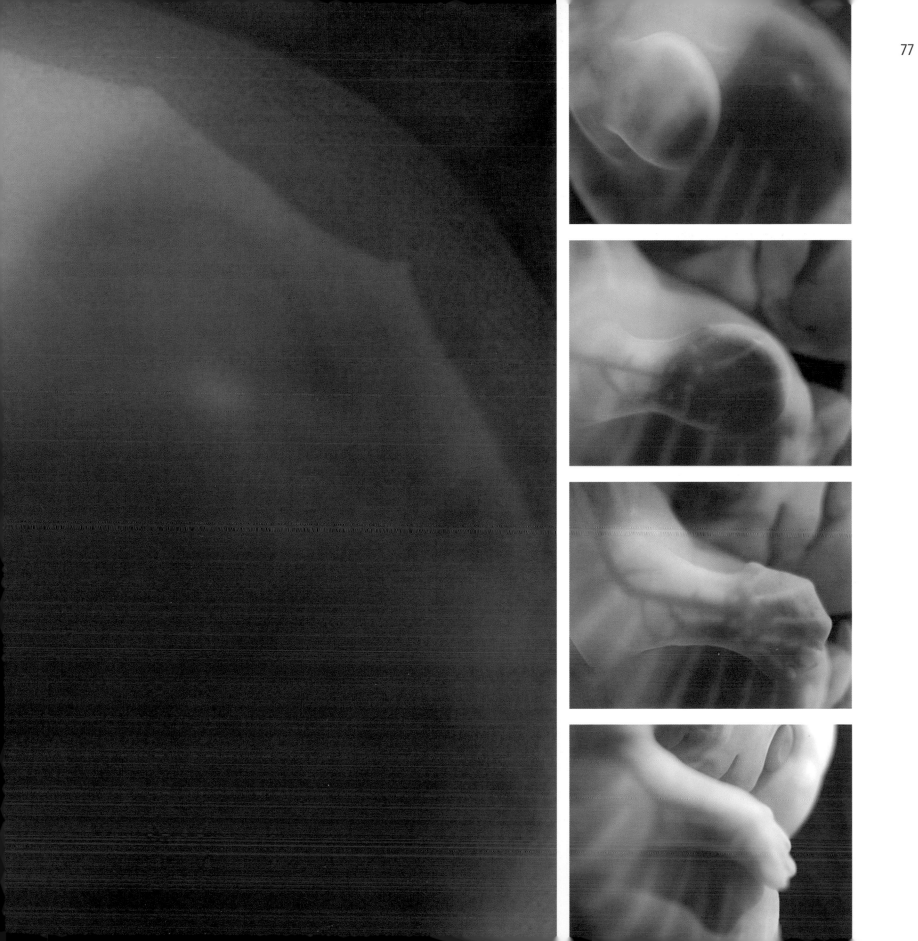

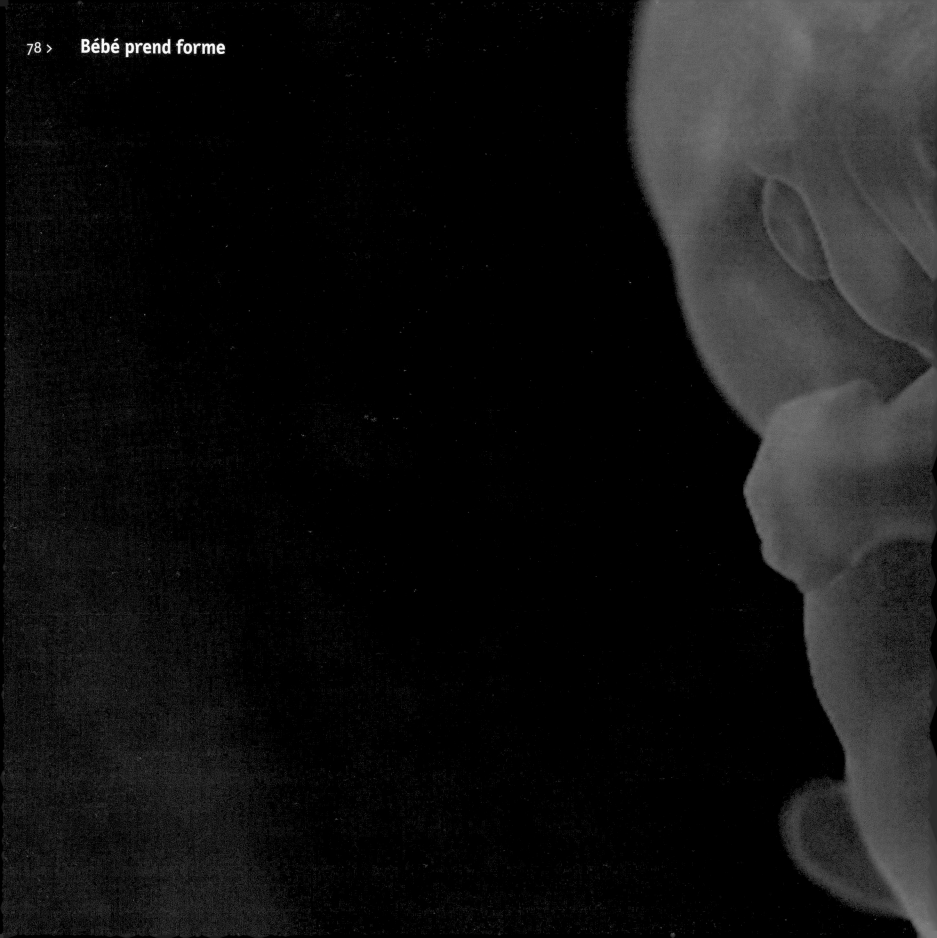

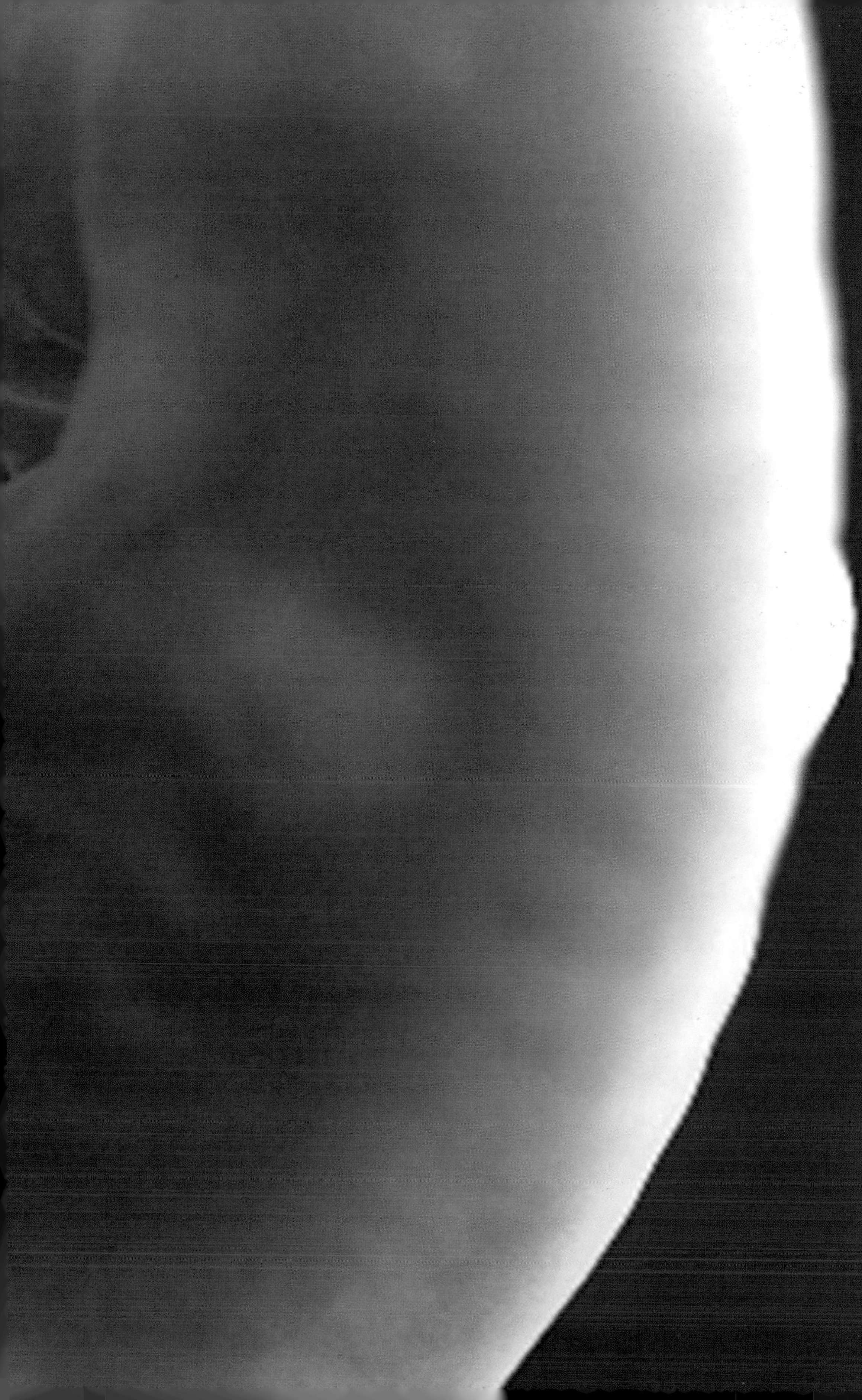

Entre le début
de la 4ᵉ et la fin
de la 6ᵉ semaine,
le poids de
l'embryon est
multiplié par
100 000, mais
il n'est pas plus
gros qu'une
petite groseille.

Les principaux
systèmes
physiologiques
sont désormais
fonctionnels.

Bébé prend forme

Une silhouette se dessine

À 60 jours, l'embryon a un aspect plus humain. Son visage est presque en place, les plis sont devenus un front, des joues et une mâchoire inférieure. Ses bras et ses jambes sont bien formés et segmentés ; doigts et orteils sont visibles, même s'ils sont encore très courts.

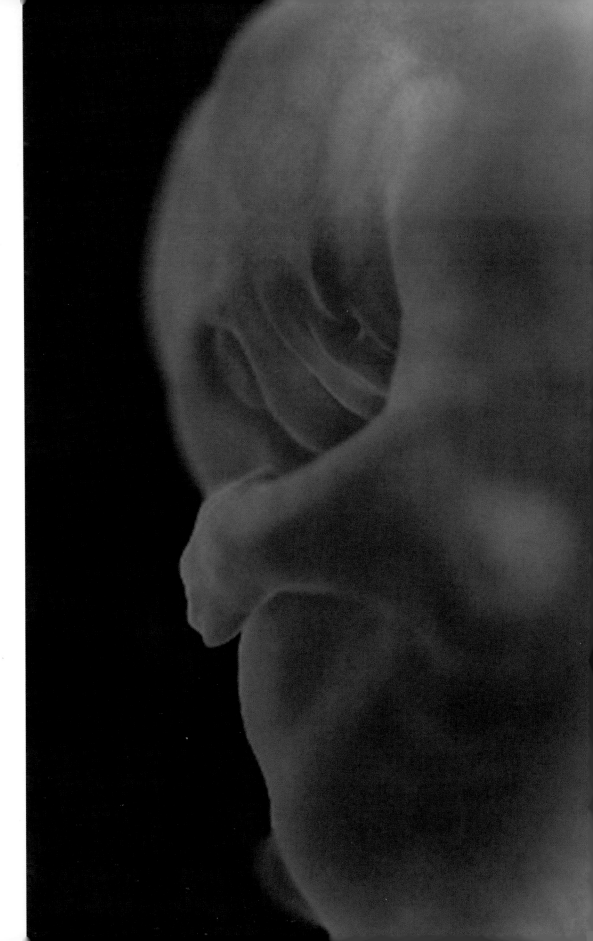

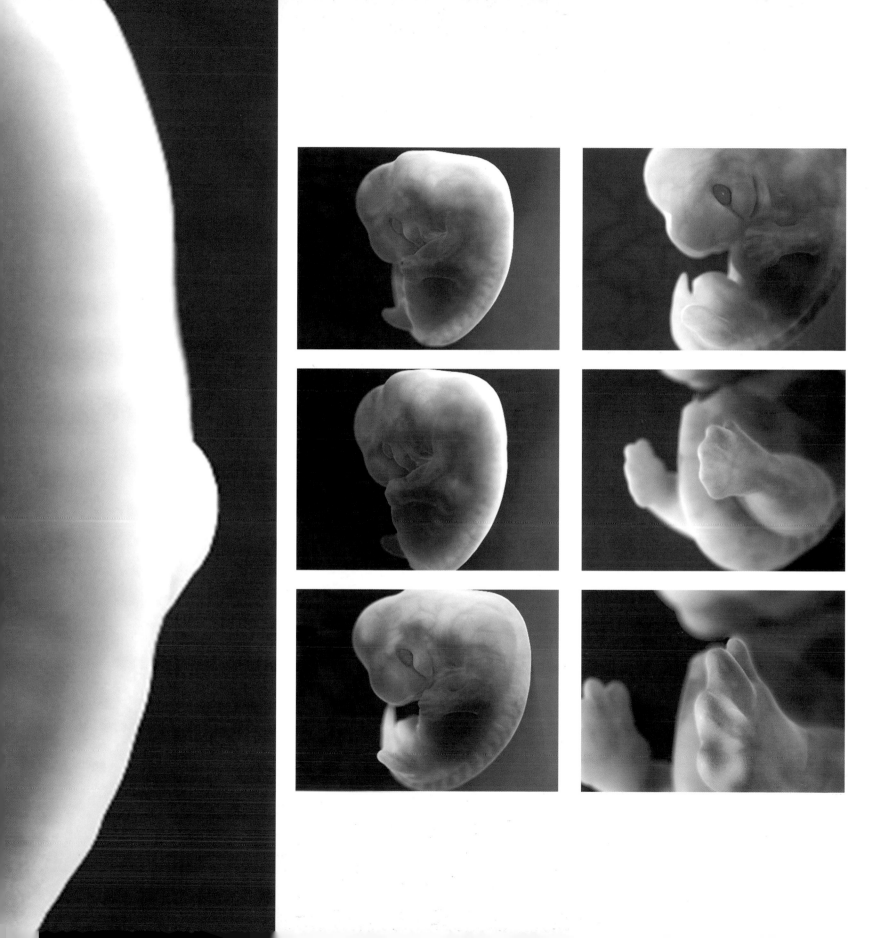

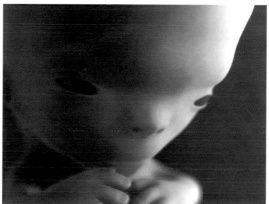

L'embryon devient un fœtus

À ce stade, dans le corps de l'embryon, la mise en place des organes est presque achevée. C'est la fin de la période des transformations, et le début de celle du développement.

L'embryon
mesure
environ 7,5 cm
et pèse
à peu près 18 g.

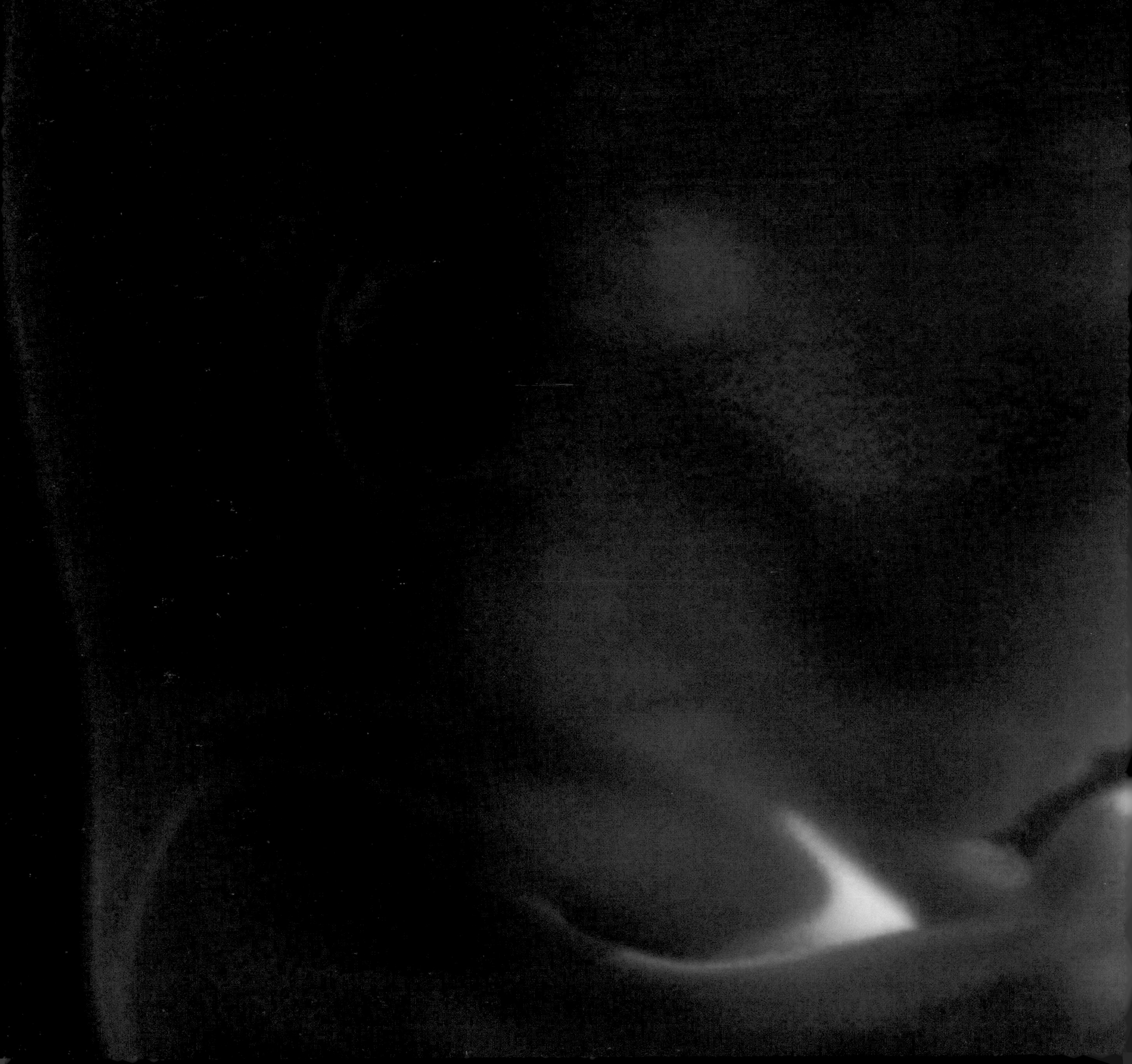

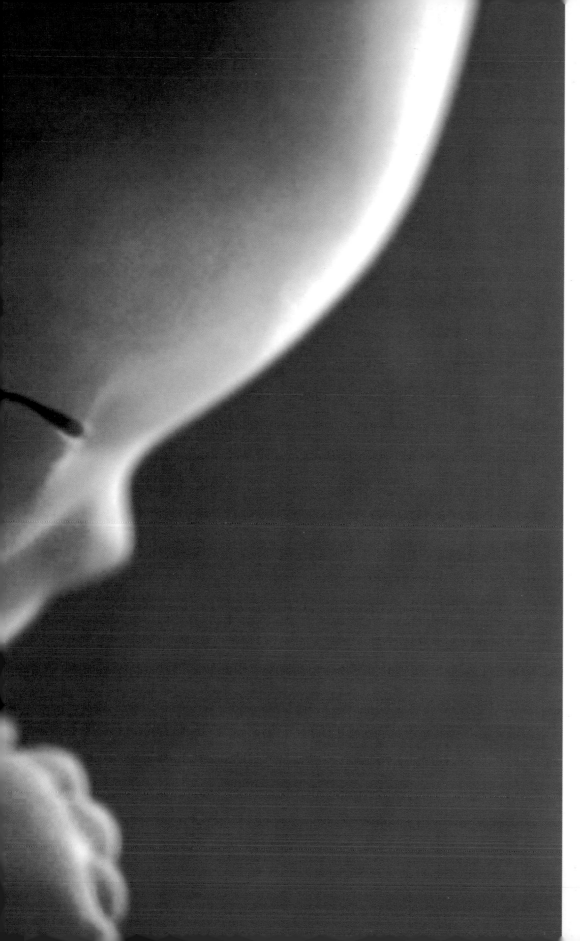

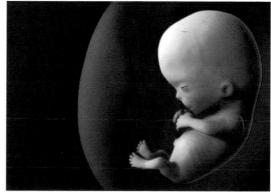

Le cerveau apparaît

La peau de l'embryon est translucide. Au niveau du crâne, une masse sombre transparaît : le cerveau.

Très tôt, une différence est apparue entre le haut et le bas du corps. La tête est deux fois plus volumineuse que les membres inférieurs. Le tube neural s'est fermé dès le début de la 4ᵉ semaine, achevant la première étape de développement du cerveau et de la moelle épinière.

Trois cerveaux pour un fœtus

Des premiers vertébrés à l'homme sont apparus trois cerveaux superposés, qui se développent simultanément chez le fœtus :

— le cerveau dit reptilien ou diencéphale, qui assure la régulation de notre vie végétative. C'est le cerveau du milieu intérieur ;

— le cerveau limbique ou rhinencéphale, cerveau des anciens mammifères. C'est le cerveau de l'affectivité, de l'émotion et de l'apprentissage ;

— le néocortex, formé de deux hémisphères. C'est le cerveau de la conscience, qui apparaît au bout de six semaines.

Là encore, la formation du cerveau humain est comparable à celle qui a présidé à l'évolution du cerveau dans le règne animal, des poissons aux mammifères. Mais le développement de cet organe extraordinaire nécessitera encore plusieurs années après la naissance.

À ce stade très primitif, les lobes cérébraux rappellent étrangement le corps du fœtus. Tous les deux sont entourés d'eau, baignant dans un liquide retenu par de fines membranes, elles-mêmes accolées à des parois.

La « matière grise »

À ce stade, on distingue deux courbures : la courbure cervicale, à l'arrière (d'où sera issue la moelle épinière), et la courbure céphalique, à l'avant (d'où sera issu le cerveau).

Le cerveau comprend cinq parties ou vésicules : le télencéphale, le diencéphale, le mésencéphale, le métencéphale et le myélencéphale. Elles ressemblent à un paysage lunaire vallonné.

À l'intérieur du cerveau flottent des milliers de neurones (les cellules nerveuses cérébrales) en croissance. À partir du noyau de ces neurones, des arborescences (les dendrites) et des prolongements (les axones) se déploient dans toutes les directions et se connectent progressivement les uns aux autres.

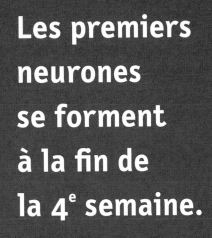

**Les premiers
neurones
se forment
à la fin de
la 4e semaine.**

Un réseau de communication prodigieux

Ce qui sera le cerveau grandit de 100 000 nouveaux neurones par heure. À la naissance, notre stock de neurones est définitif. Il n'est pas renouvelable. Le rat a 65 millions de neurones, le chimpanzé 7 milliards et l'homme 100 milliards. Toutefois, le développement et la prolifération des possibilités de connexion entre eux sont encore plus importants que les neurones eux-mêmes. Autour de la 10e semaine, les synapses, véritable réseau de communication entre les cellules du cerveau, commencent à apparaître. Sans ces liaisons, le cerveau ne pourrait transmettre aucune information.

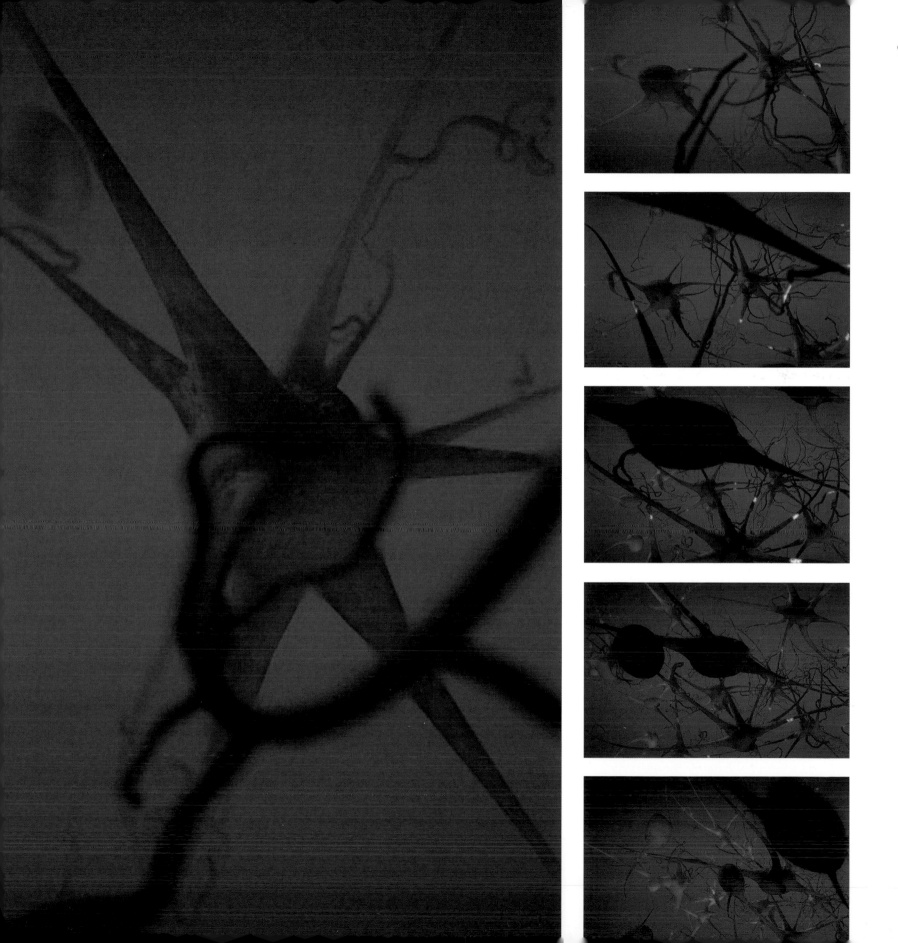

Le courant passe

Des dizaines, des centaines, des milliers de neurones s'étendent à perte de vue, formant un réseau tentaculaire de fibrilles parcouru par d'incessants influx électriques.

Les changements intervenus dans le cerveau du fœtus ont des répercussions sur son comportement. Jusqu'alors inerte, il s'anime. Ses jambes se mettent à gigoter, ses doigts se plient, sa bouche s'ouvre et se ferme...

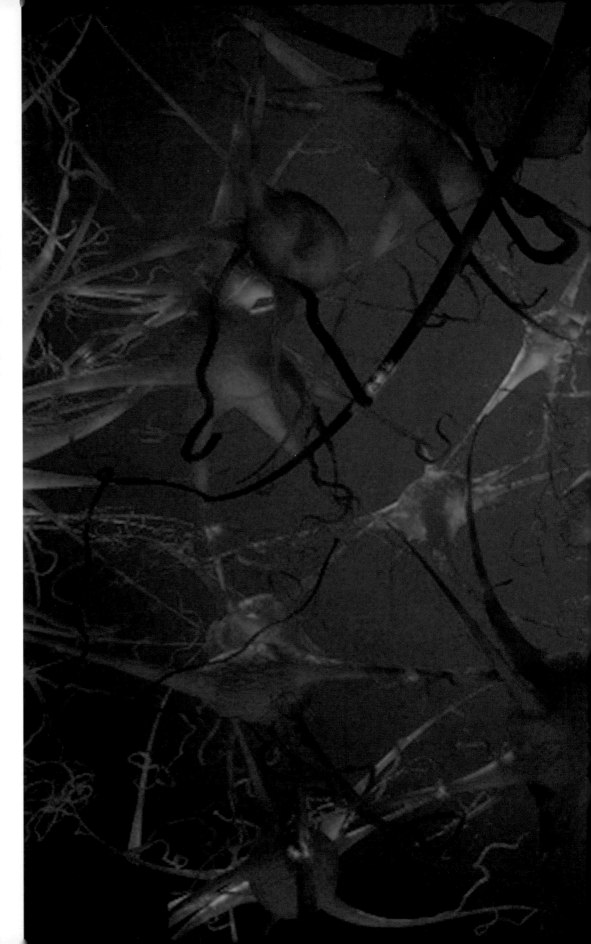

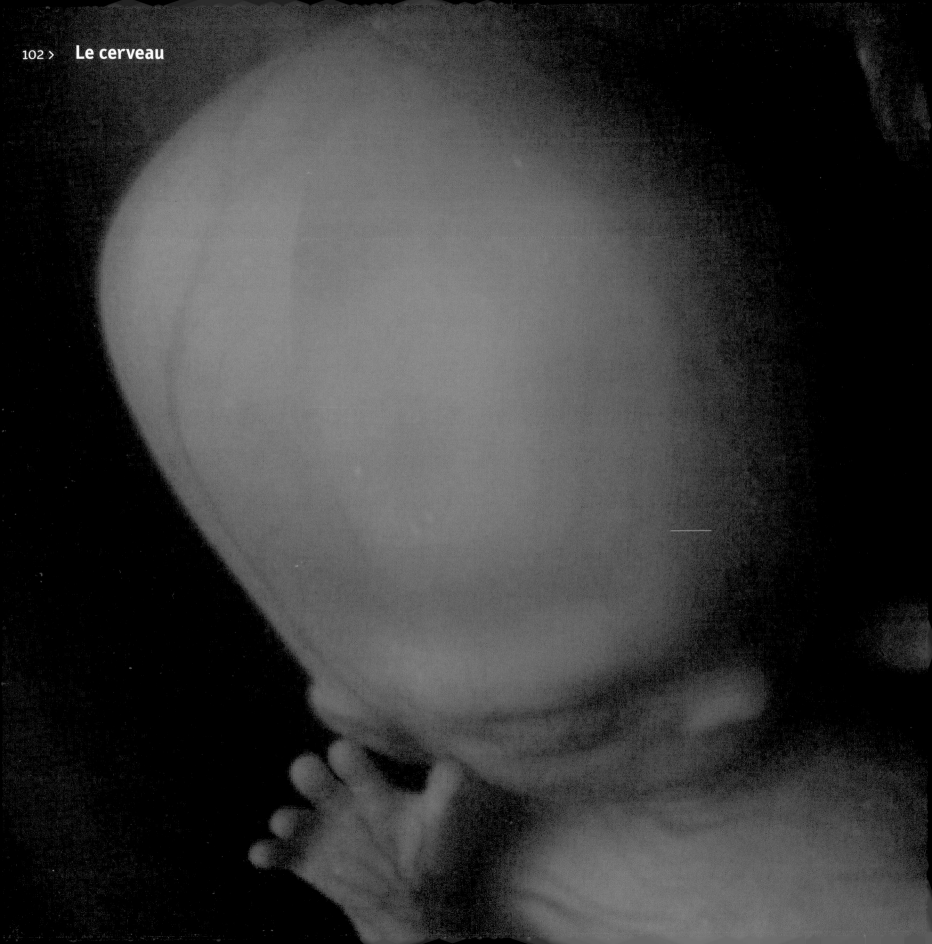

L'éveil du fœtus

Grâce à la maturation du cerveau et aux connec-
tions qui s'organisent entre les nerfs du corps et
les neurones, le fœtus commence à pouvoir
effectuer des mouvements coordonnés, comme
s'il sortait d'un long sommeil. Il s'éveille à la vie
intra-utérine.

12ᵉ semaine, 3ᵉ mois

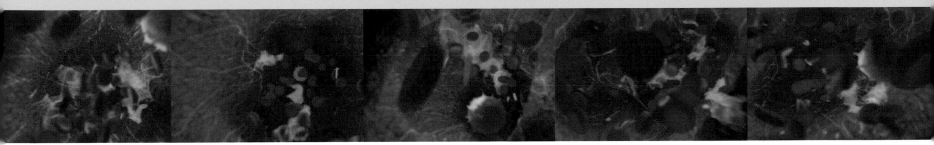

Bébé mange

Le fœtus mesure
environ 10 cm
et pèse à peu
près 45 g.
C'est le moment
de passer
la 1re échographie.

Les échanges alimentaires entre la mère et le fœtus

Quel long trajet un aliment doit faire pour nourrir à la fois la mère et l'enfant ! Œsophage, estomac, intestin, foie puis placenta... L'aliment parcourt une première étape à travers le corps de la mère. Puis, dès lors que les nutriments débouchent dans le placenta, une seconde étape plus sélective intervient. Car le placenta s'apparente à une douane qui, dans la mesure du possible, ne laisse passer par le cordon que ce qui peut profiter au bébé.

D'aspect spongieux, le placenta est semblable à une galette formée d'un entrelacs de filaments, les villosités, qui offrent une très importante surface d'échanges.

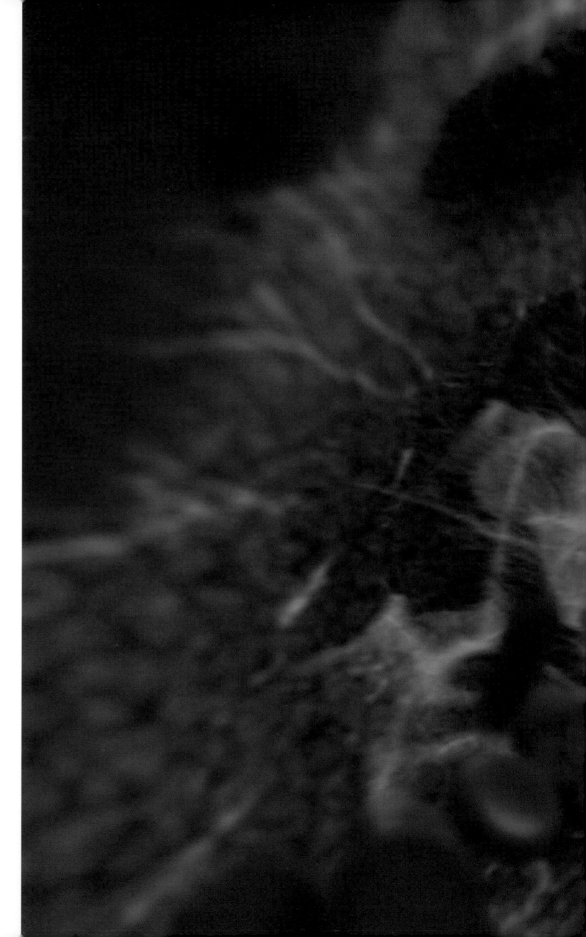

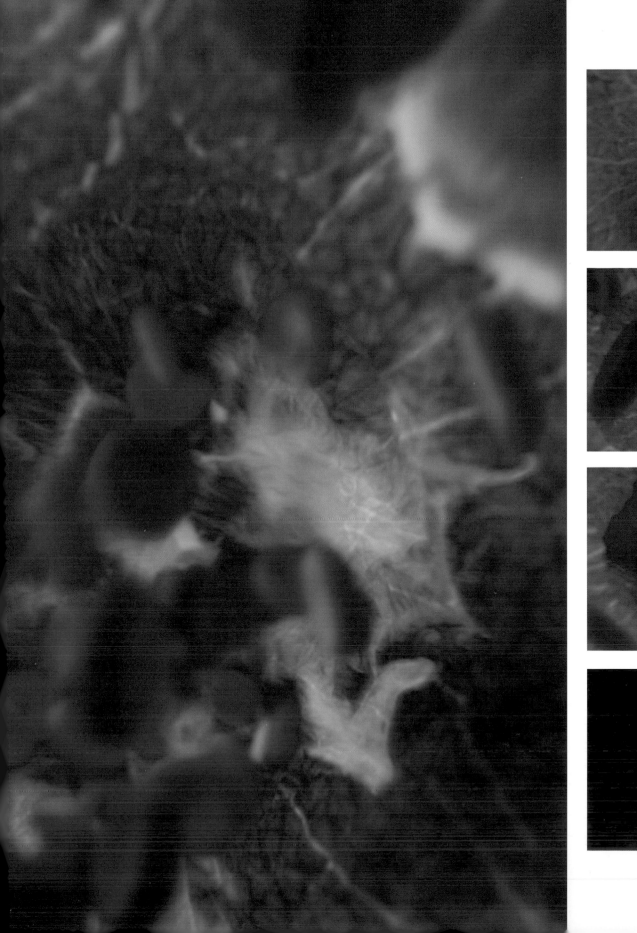

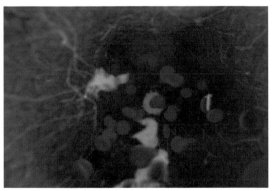

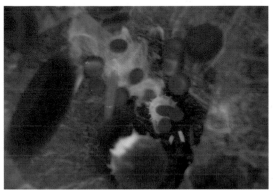

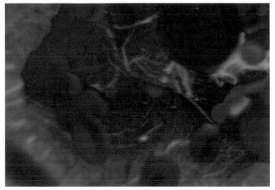

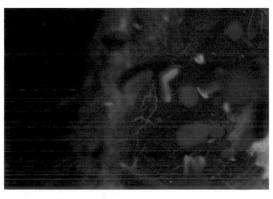

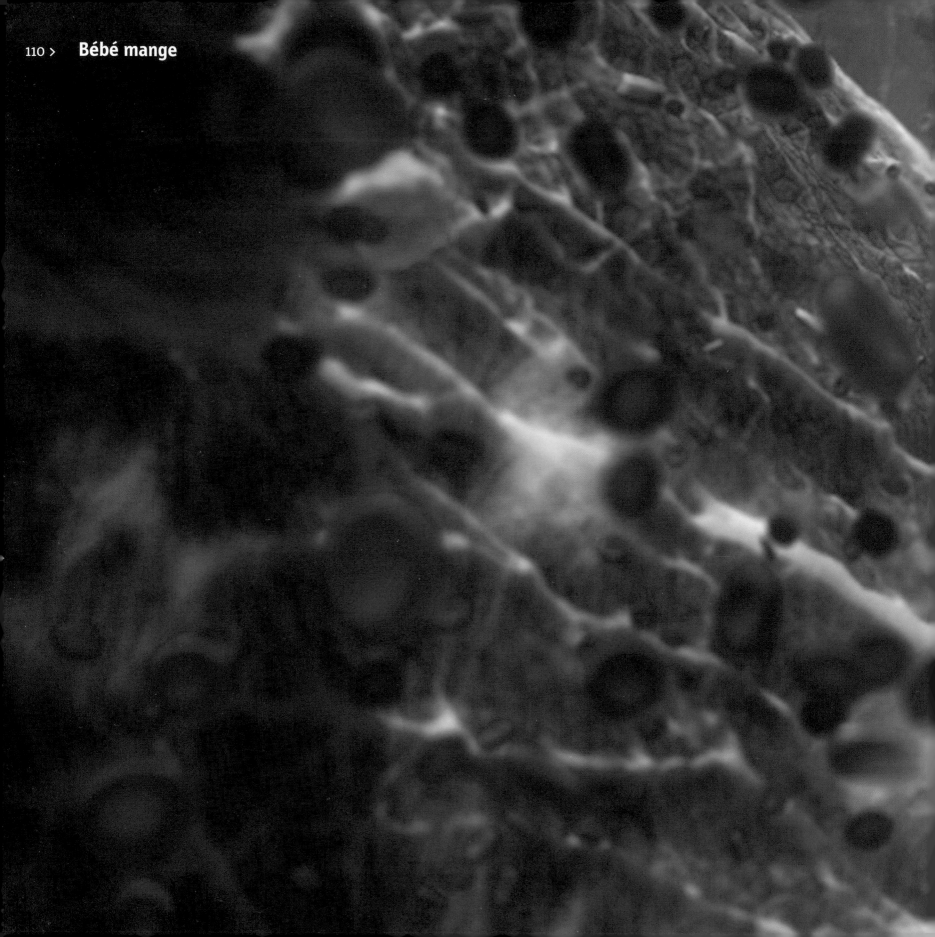

Quand la mère
mange,
les molécules
issues de sa
digestion passent
d'un système
sanguin à l'autre
au niveau des
villosités.
Suivant le goût
de la molécule
ingérée, le fœtus
va réagir
positivement
ou négativement.

Un poumon in utero

Le cordon ombilical s'est formé à la 4e semaine. À terme, il mesurera entre 30 et 90 cm de long suivant les fœtus. Il est constitué d'une veine (par laquelle arrivent oxygène et nutriments) et de deux artères (par lesquelles sont évacués les déchets).

Le cordon est le « poumon » in utero du fœtus, la source de son alimentation et de son développement.

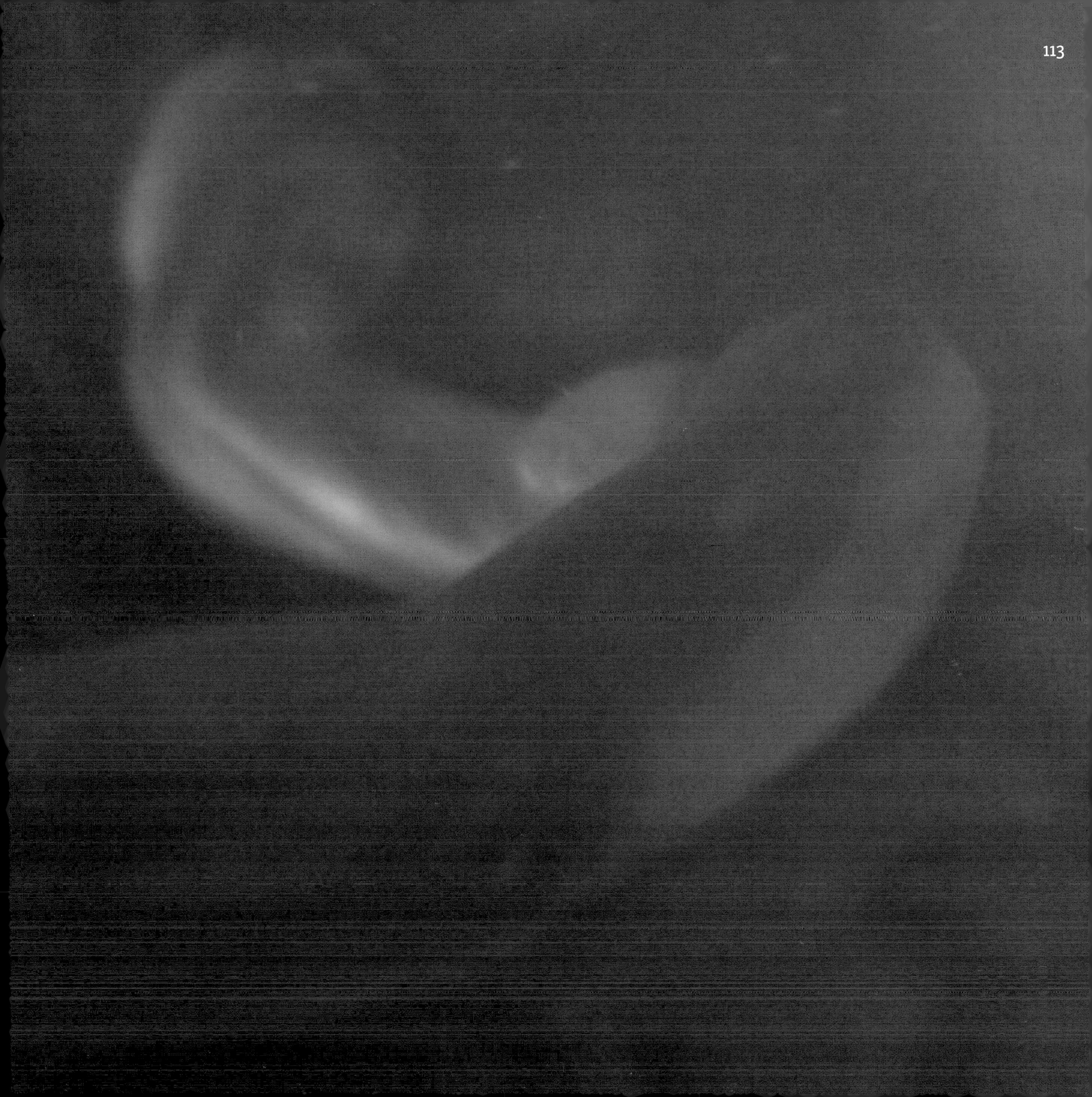

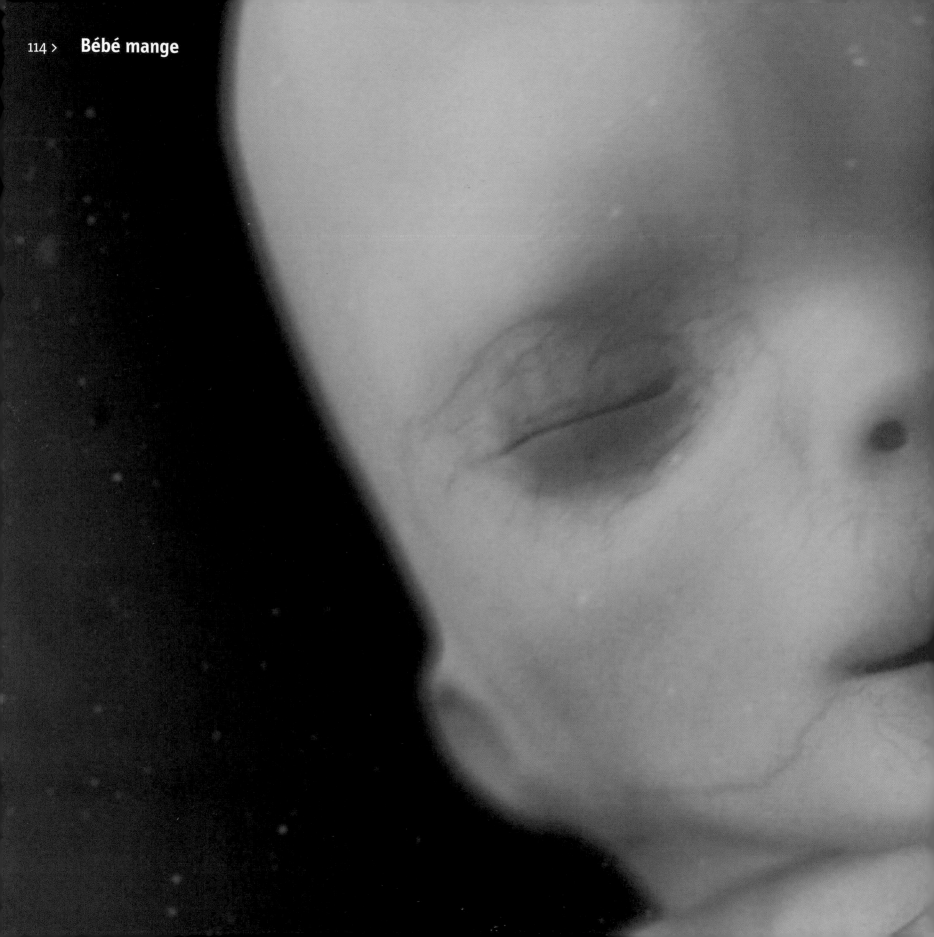

Des expériences
menées sur des
fœtus plus âgés
ont révélé un goût
particulièrement
vif pour le sucre,
goût qui demeure
chez presque
tous les enfants,
et chez beaucoup
d'adultes...

**Le fœtus mesure
environ 14 cm
et pèse
à peu près 110 g.**

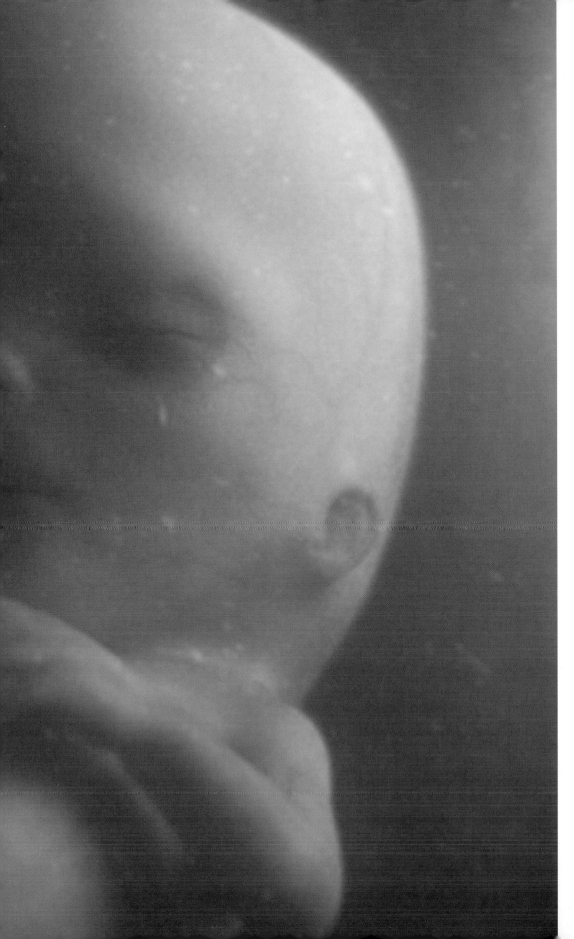

À qui ressemble-t-il ?

Le visage du fœtus s'humanise. Les poils ténus des sourcils sont visibles, ainsi que les racines des cheveux. La proportion tête/corps se modifie : tronc, jambes et bras s'allongent. Sa peau est toujours fine, lâche et plissée, mais elle se couvre d'un fin duvet, le lunago, qui disparaîtra par la suite.

Le fœtus alterne des périodes de veille et de sommeil, et le réflexe de succion apparaît, comme s'il cherchait à téter.

Un cœur répond à un autre

Le cœur du fœtus est parfaitement formé. Il se contracte et se dilate rapidement ; le sang circule dans les veines qui parcourent tout son corps.

Le réseau sanguin est maintenant très développé. Les veines les plus saillantes, visibles à travers la peau encore translucide, sont irriguées par le flux sanguin.

Si la mère a une brusque montée de tension, l'afflux des hormones maternelles lié à l'effort a un effet sur le système sanguin du fœtus. La tension « gonfle » ses veines, créant des reliefs sur sa peau.

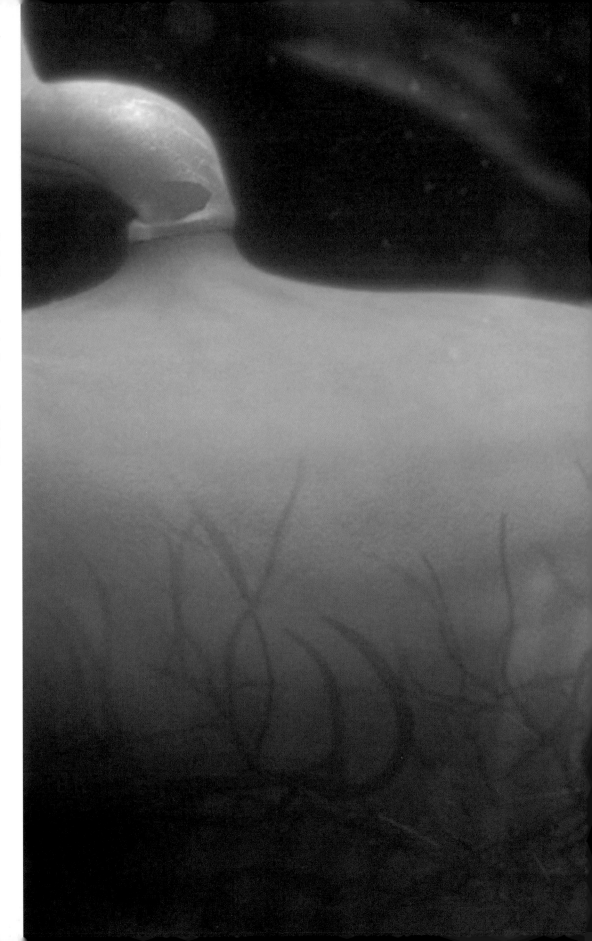

**Le fœtus mesure
environ 20 cm
et pèse
à peu près 240 g.**

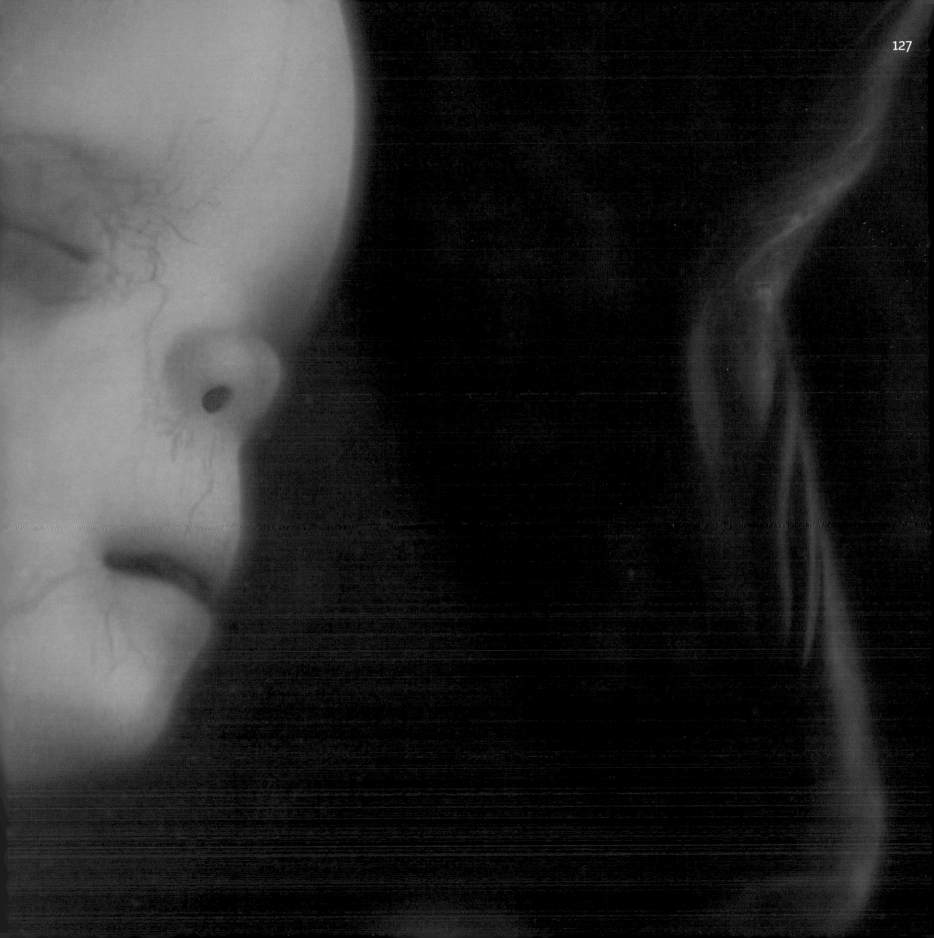

Des toxines parviennent jusqu'au fœtus. Celui-ci fronce les sourcils, puis il a un mouvement brusque vers l'avant, comme s'il toussait.

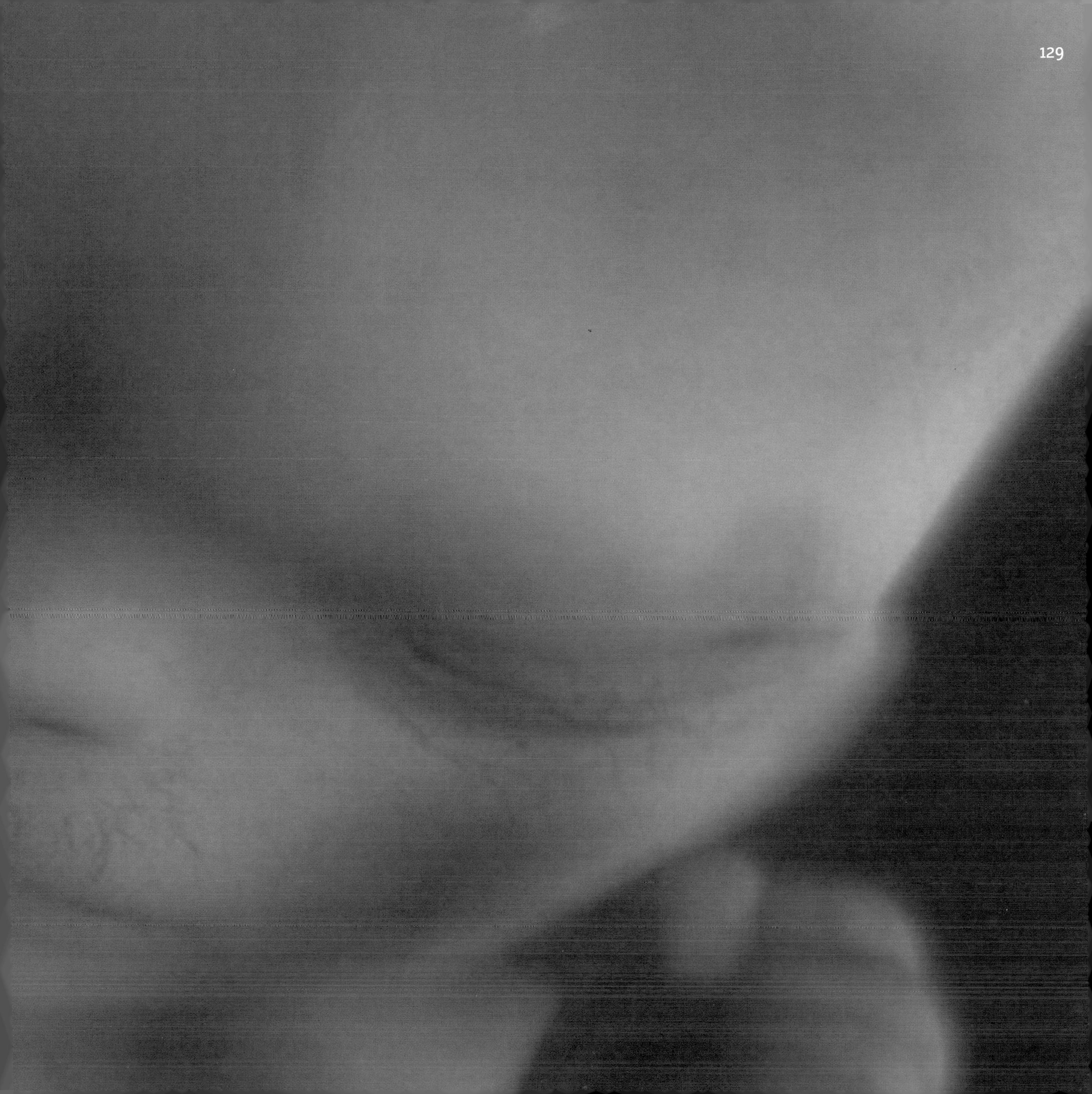

Quand maman fume

Tabac et alcool = danger pour bébé!

Comme les nutriments, les molécules de nicotine passent de la mère à l'enfant via le placenta puis via le cordon ombilical quand la maman fume.

Filtre protecteur, le placenta n'empêche malheureusement pas toutes les substances nocives de passer, notamment les petites molécules comme celles de nicotine ou d'alcool. En revanche, c'est par le placenta que la mère transmet à son enfant un stock de défenses immunitaires afin de le préparer à une vie extra-utérine autonome.

Reste que si la mère fume beaucoup et régulièrement, le fœtus se développe moins bien.

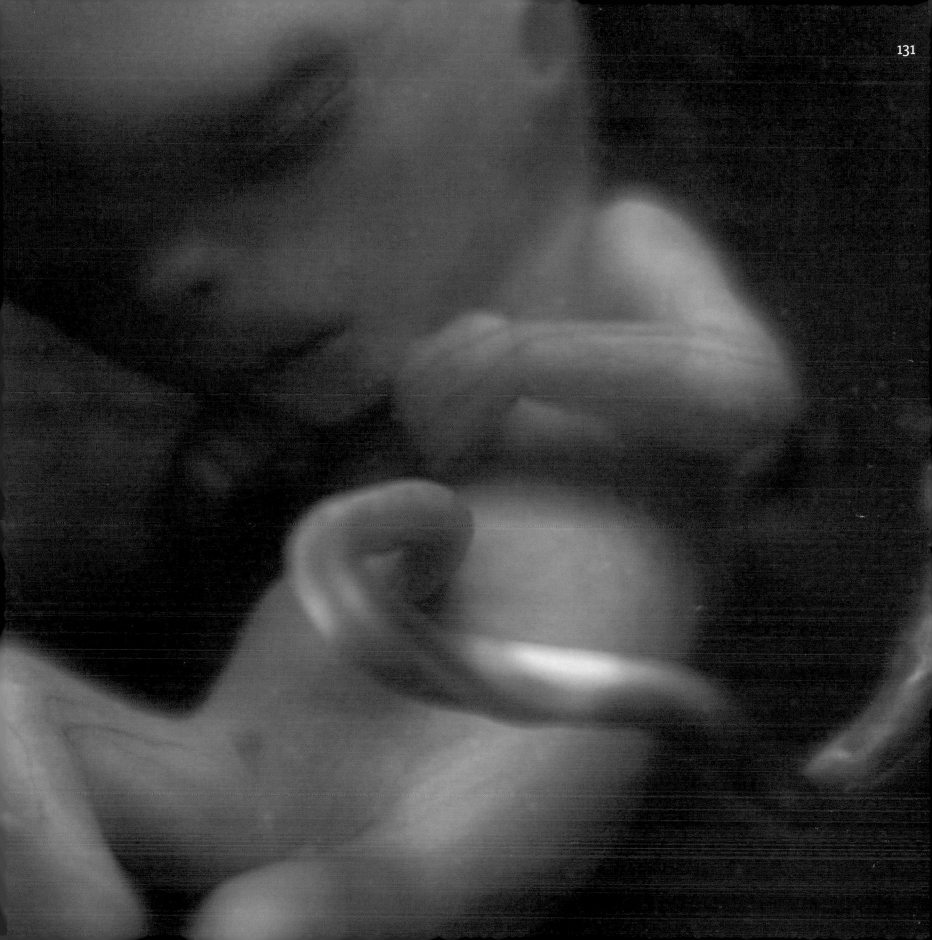

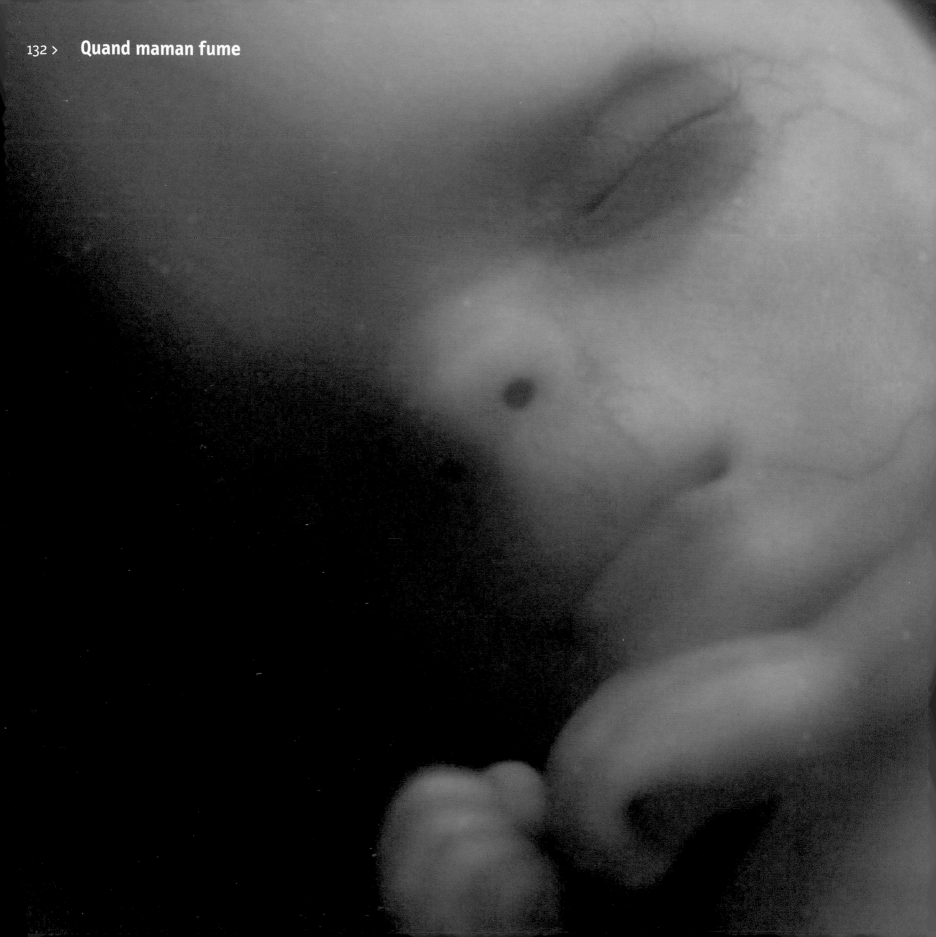

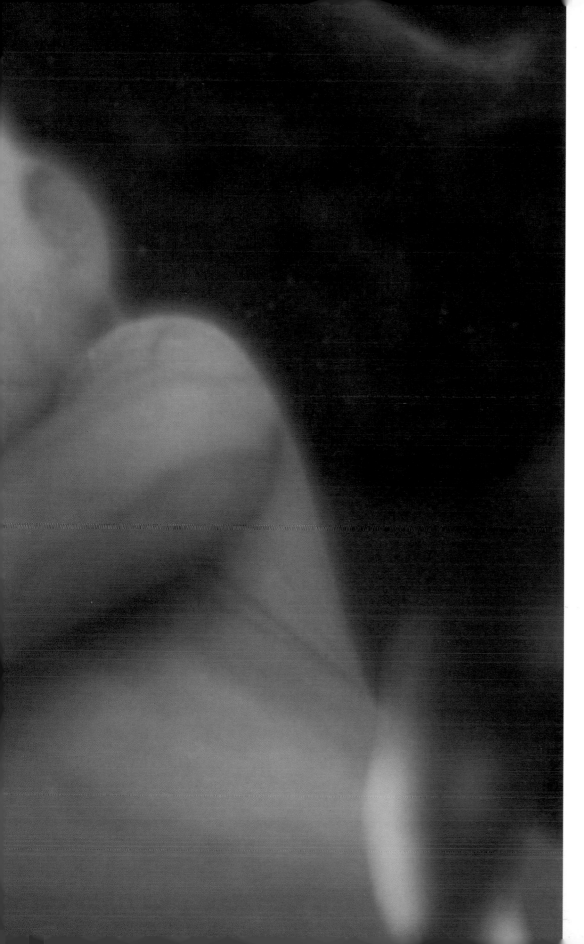

Un petit être vulnérable

Pour lui, la menace est considérable : toxines et nicotine freinent le développement de l'organisme. Le bébé court le risque de naître tout petit ou bien avant terme. Ce qui est en jeu, c'est son développement. Le tabac peut ralentir sa croissance ou entraîner un accouchement prématuré.

20ᵉ semaine,
5 mois

Fille ou
garçon ?

Le fœtus mesure
environ 22,5 cm
et pèse
à peu près 385 g.
C'est le moment
de passer
la 2e échographie.

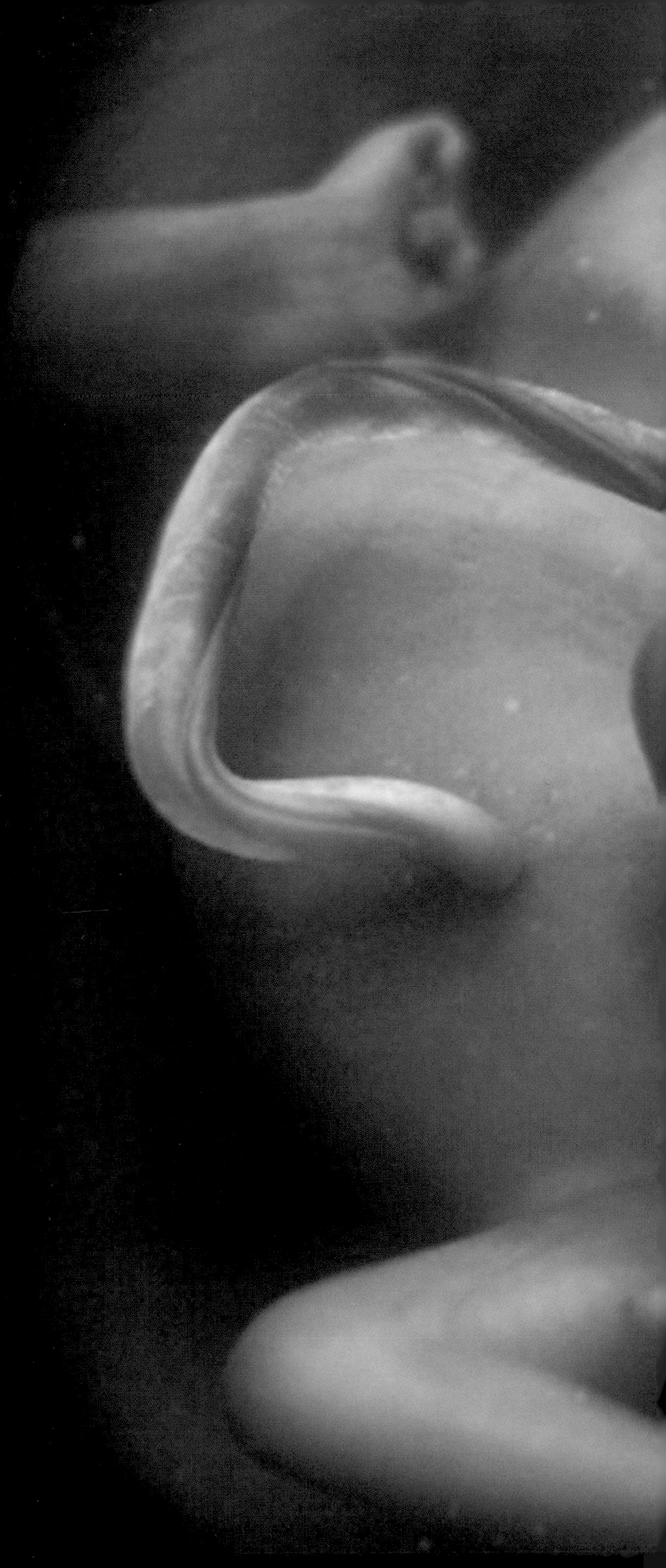

Au début du
4e mois, le sexe
du fœtus est
indifférencié et
a la même forme,
que le futur bébé
soit un garçon
ou une fille.
Il est alors appelé
« tubercule
génital ».

Fille ou garçon?

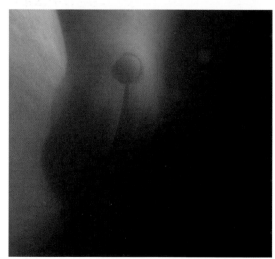

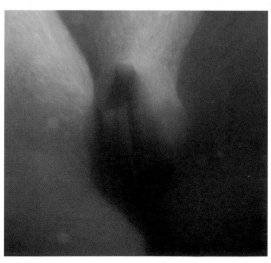

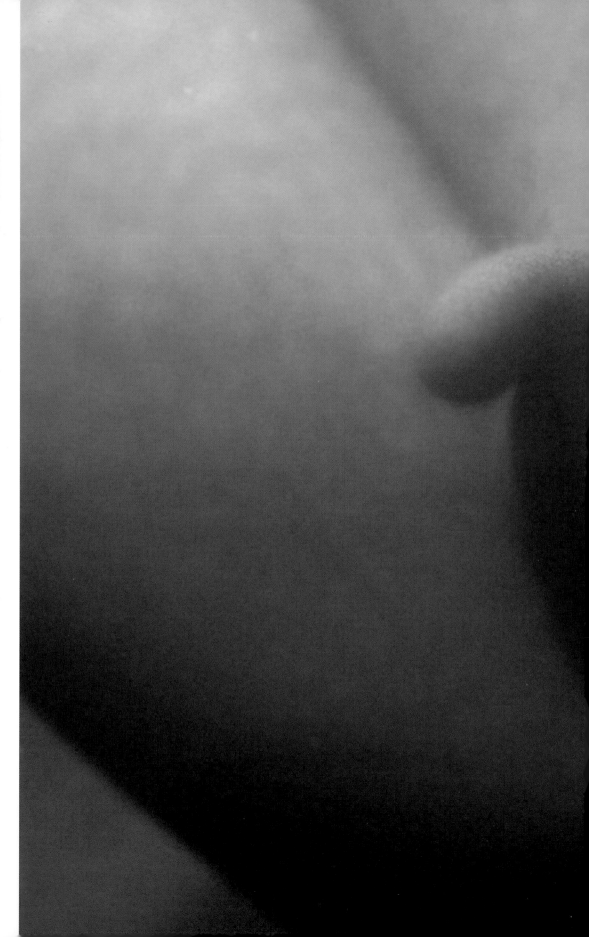

Si c'est un petit gars...

Peu à peu, ce tubercule évolue. Si c'est un garçon, les canaux de Müller – qui caractérisent le sexe féminin – régressent et font disparaître l'ébauche de l'utérus et des trompes. Les canaux masculins, eux, que l'on appelle canaux de Wölff, se transforment et donnent naissance aux testicules. Ces derniers sont remplis de spermatozoïdes immatures et se déplacent pour se loger dans la peau des bourses.

Fille ou garçon?

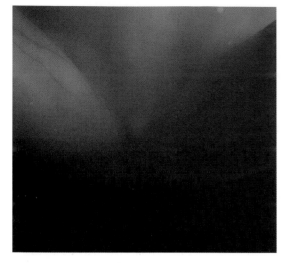

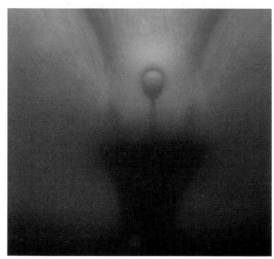

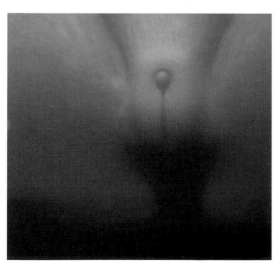

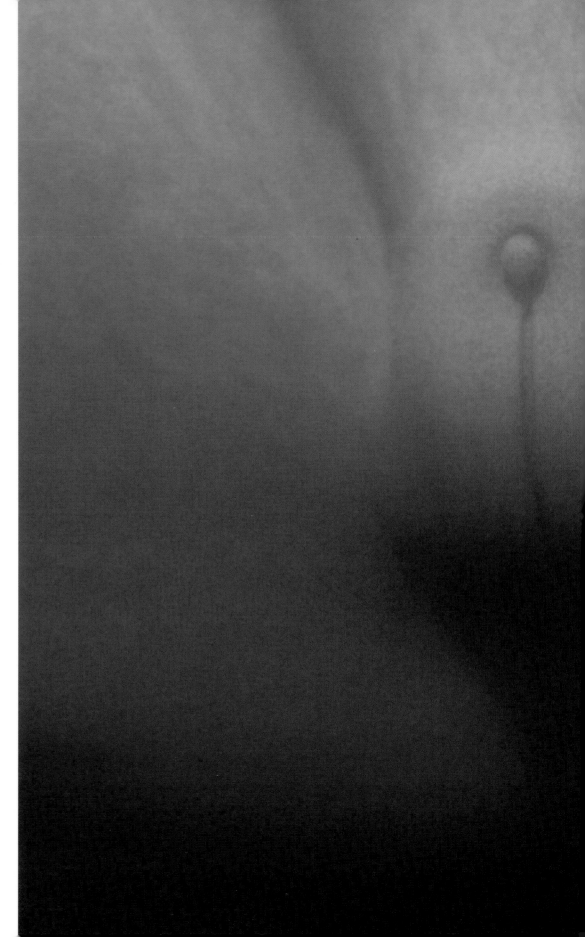

Si c'est une petite fille...

Dans le cas d'une fille, on assiste à une invagina-
tion du tubercule jusqu'à la formation du sexe
féminin. L'appareil génito-urinaire se divise en
deux : les canaux féminins (canaux de Müller)
laissent alors apparaître les trompes, le vagin et
l'utérus, tandis qu'un stock de 2 millions d'ovules
immatures se constitue dans les ovaires.

2e échographie

L'échographie est une technique permettant de voir le bébé grâce à l'utilisation des ultrasons qui, non perceptibles par l'oreille humaine, traversent les substances de nature différentes à des vitesses différentes. Le faisceau d'ondes retourne ainsi vers sa source d'émission comme un écho. Il est capté et transformé en image photographiable projetée sur un écran lumineux.

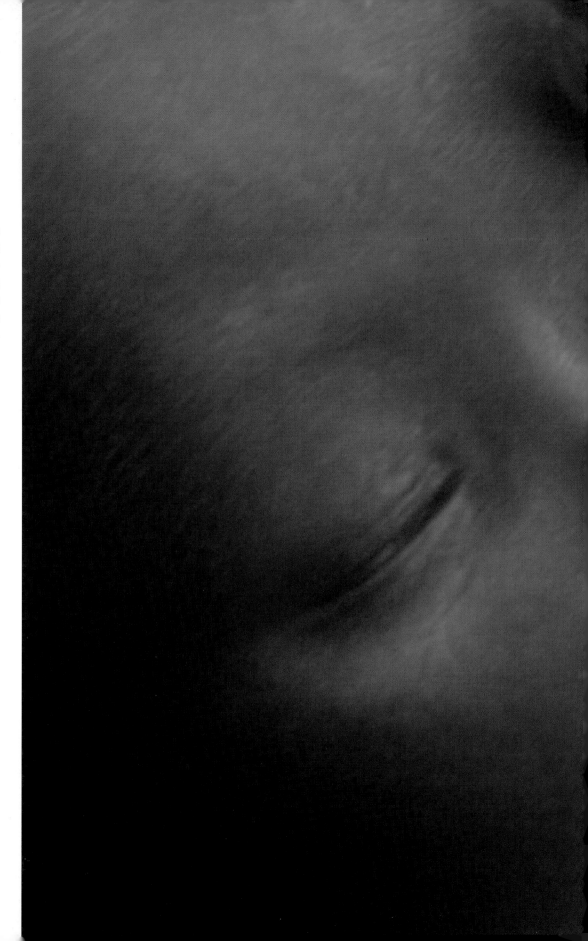

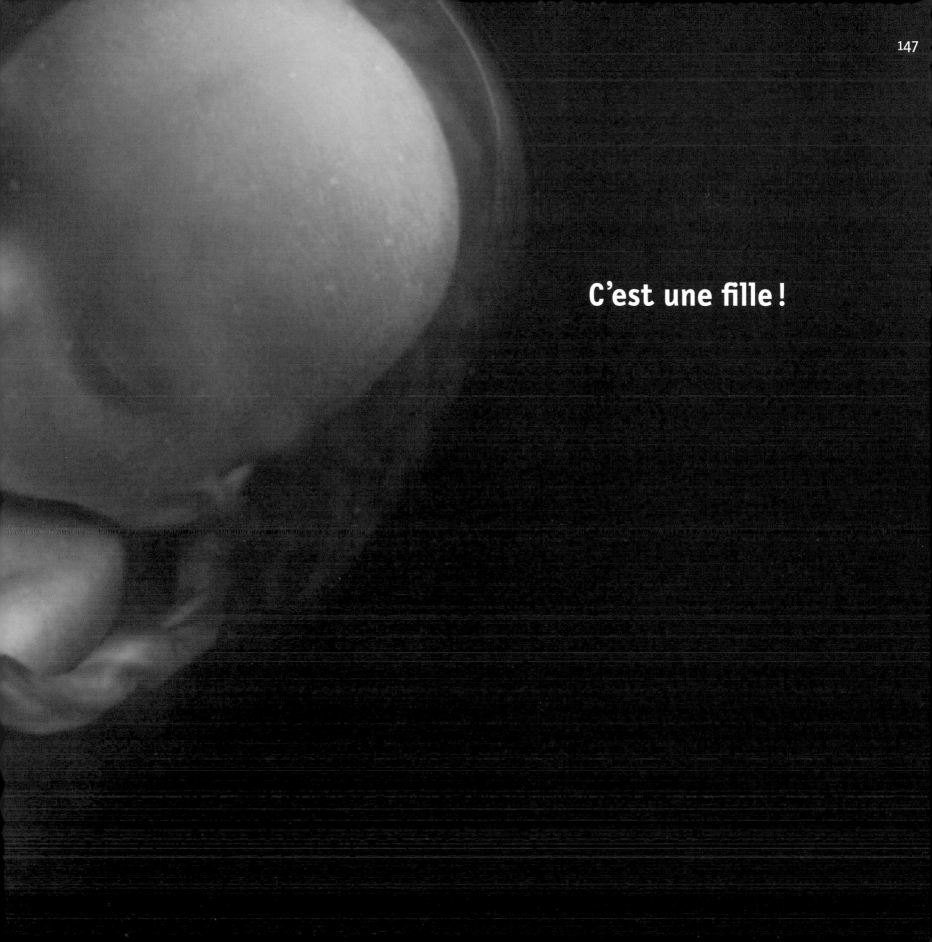

C'est une fille !

La détermination du sexe

Faisons un bref retour en arrière, car tout s'est joué au moment de la fécondation. Parmi les spermatozoïdes, environ 50 % sont porteurs du chromosome sexuel Y, et 50 % du chromosome X. Si un spermatozoïde muni du chromosome sexuel Y pénètre le premier la coque de l'ovule, le bébé à naître sera un garçon ; si c'est le spermatozoïde porteur du chromosome X qui remporte la « course », ce sera une fille.

C'est donc de l'homme que vient la détermination du sexe. Tandis que la femme possède deux chromosomes X, l'homme possède en effet un chromosome X et un chromosome Y.

Au-delà du sexe de l'enfant à venir, il y a tout son ADN dans les chromosomes, c'est-à-dire tout ce qui le caractérise sur le plan génétique. L'expression de son identité génétique sera également influencée par l'environnement.

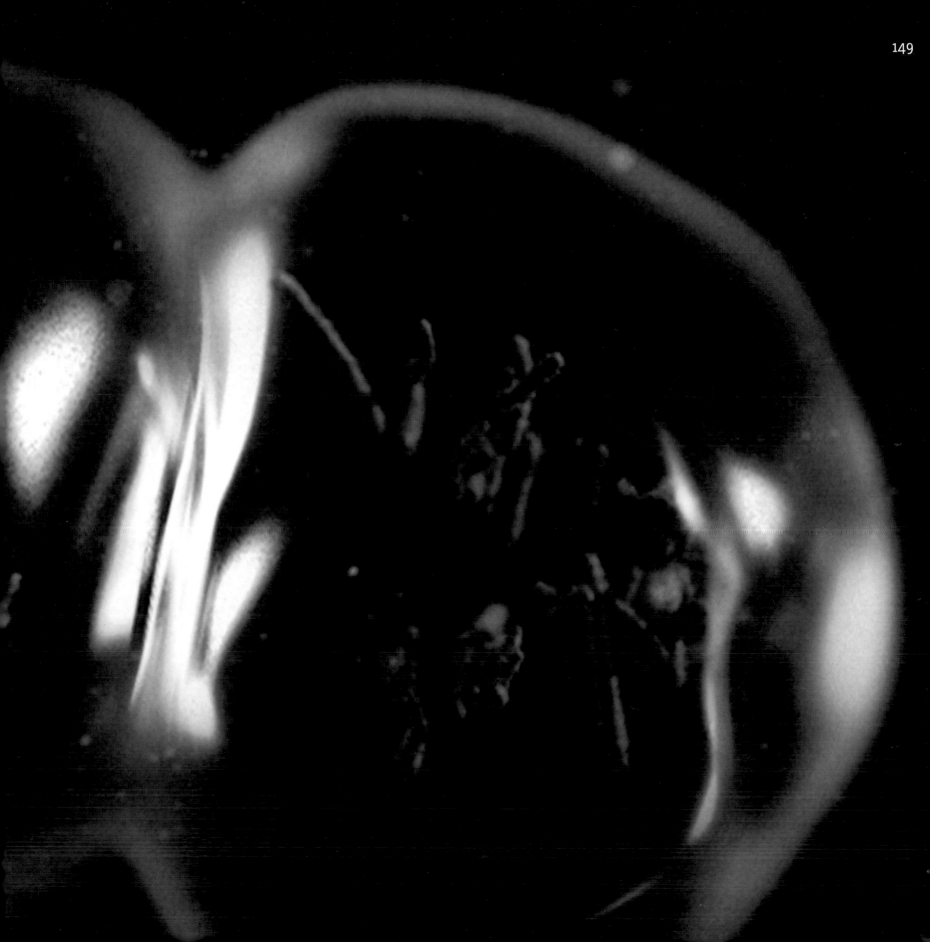

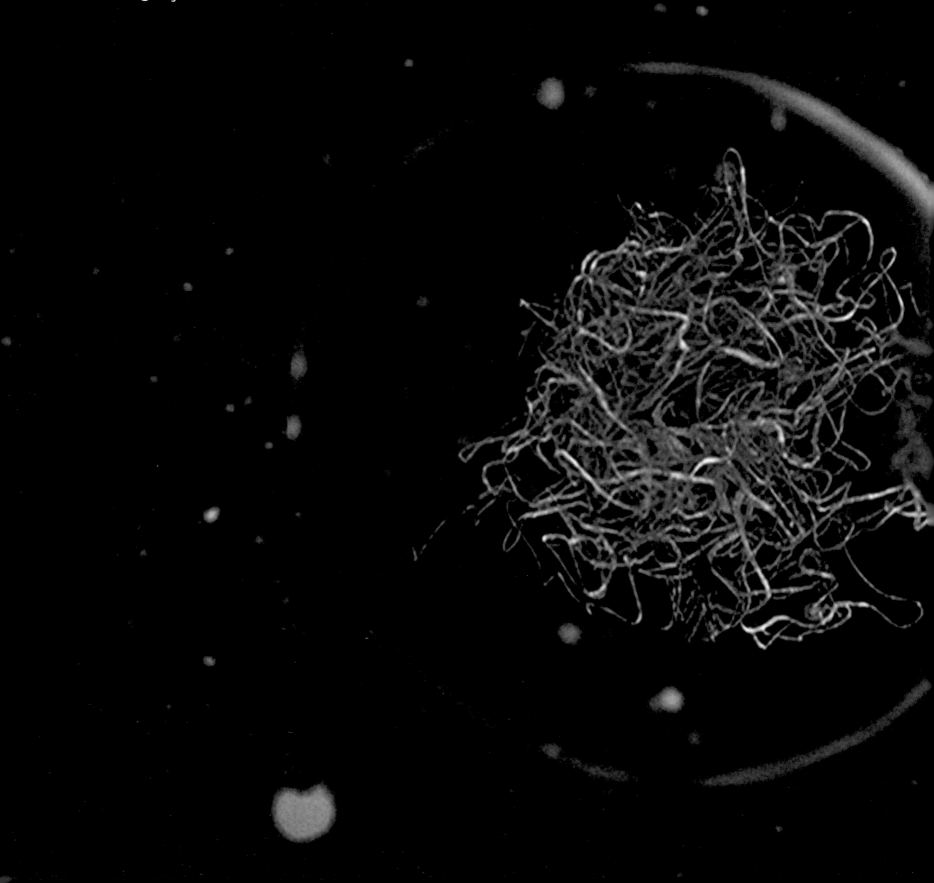

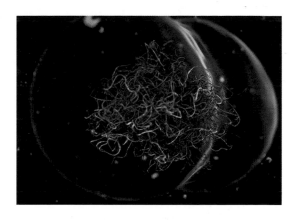

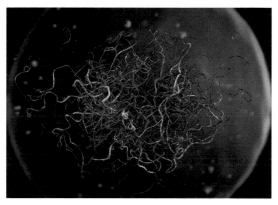

Le patrimoine génétique

Le patrimoine génétique du futur enfant pro-
vient pour moitié du père et pour moitié de la
mère.

Au moment de la fécondation, les noyaux du spermatozoïde et de l'ovule (qui contiennent chacun
23 chromosomes) s'approchent l'un de l'autre et
fusionnent pour ne plus en former qu'un.

On obtient alors un « œuf » contenant 46 brins
d'ADN, c'est-à-dire 23 paires de chromosomes.

Commence alors
la première
division cellulaire
qui, à partir
de cette cellule
mère originelle,
va donner deux
cellules filles
identiques. C'est
le phénomène
de la mitose.

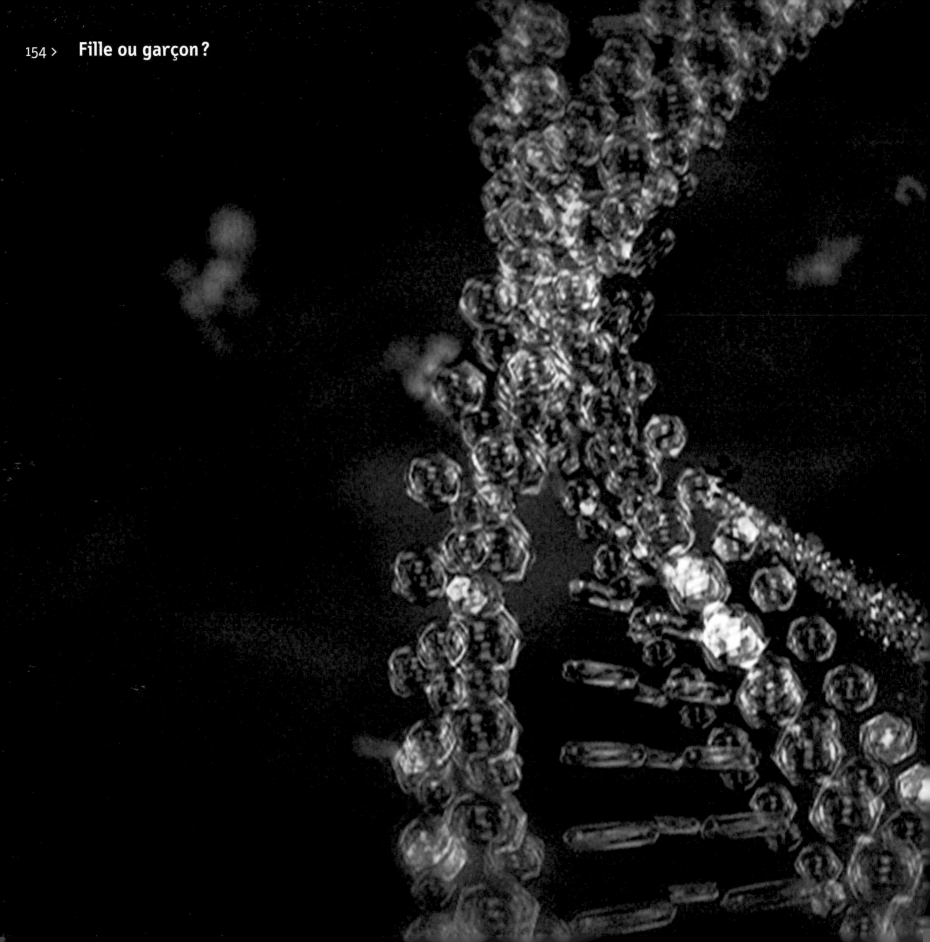

La mitose

Chaque brin d'ADN de chaque chromosome va se dupliquer. Pour cela, des molécules d'ADN arrivent les unes après les autres (selon le code génétique) et s'accrochent entre elles jusqu'à former un nouveau brin d'ADN identique au premier.

Nous avons donc maintenant dans le noyau de l'œuf 46 chromosomes comprenant deux brins d'ADN identiques.

Les chromosomes s'alignent sur un même plan, puis chacun se sépare en deux brins d'ADN identiques qui migrent vers un pôle du noyau de l'œuf tandis que la cellule commence à se diviser en deux.

À la fin, chaque cellule fille contient un noyau avec 46 chromosomes à un brin d'ADN (donc un matériel génétique identique à celui de la cellule mère).

Puis le phénomène se reproduit...

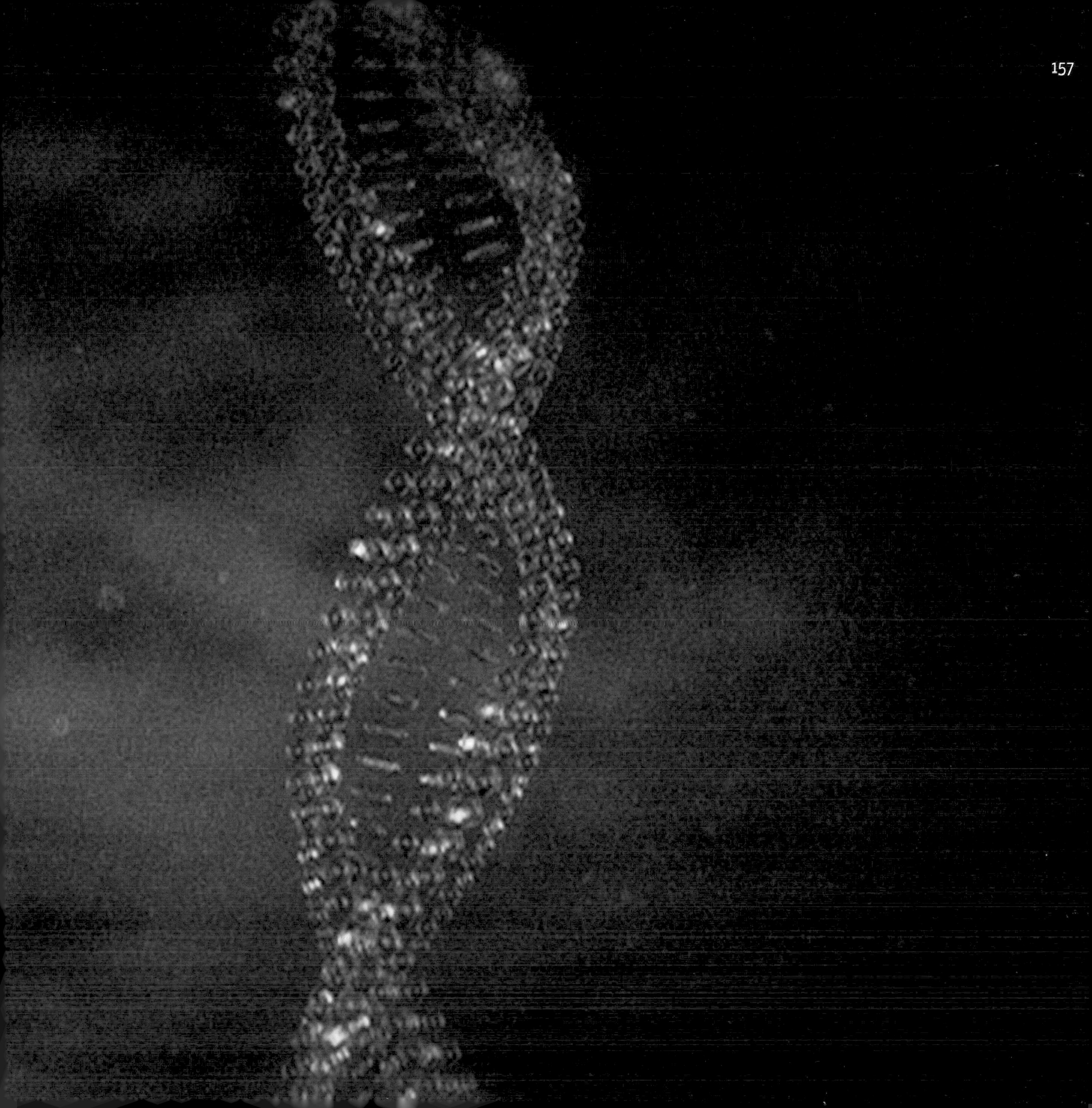

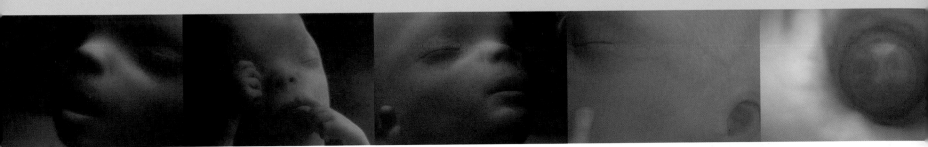

22^e semaine,
5 mois et demi

Allô ?

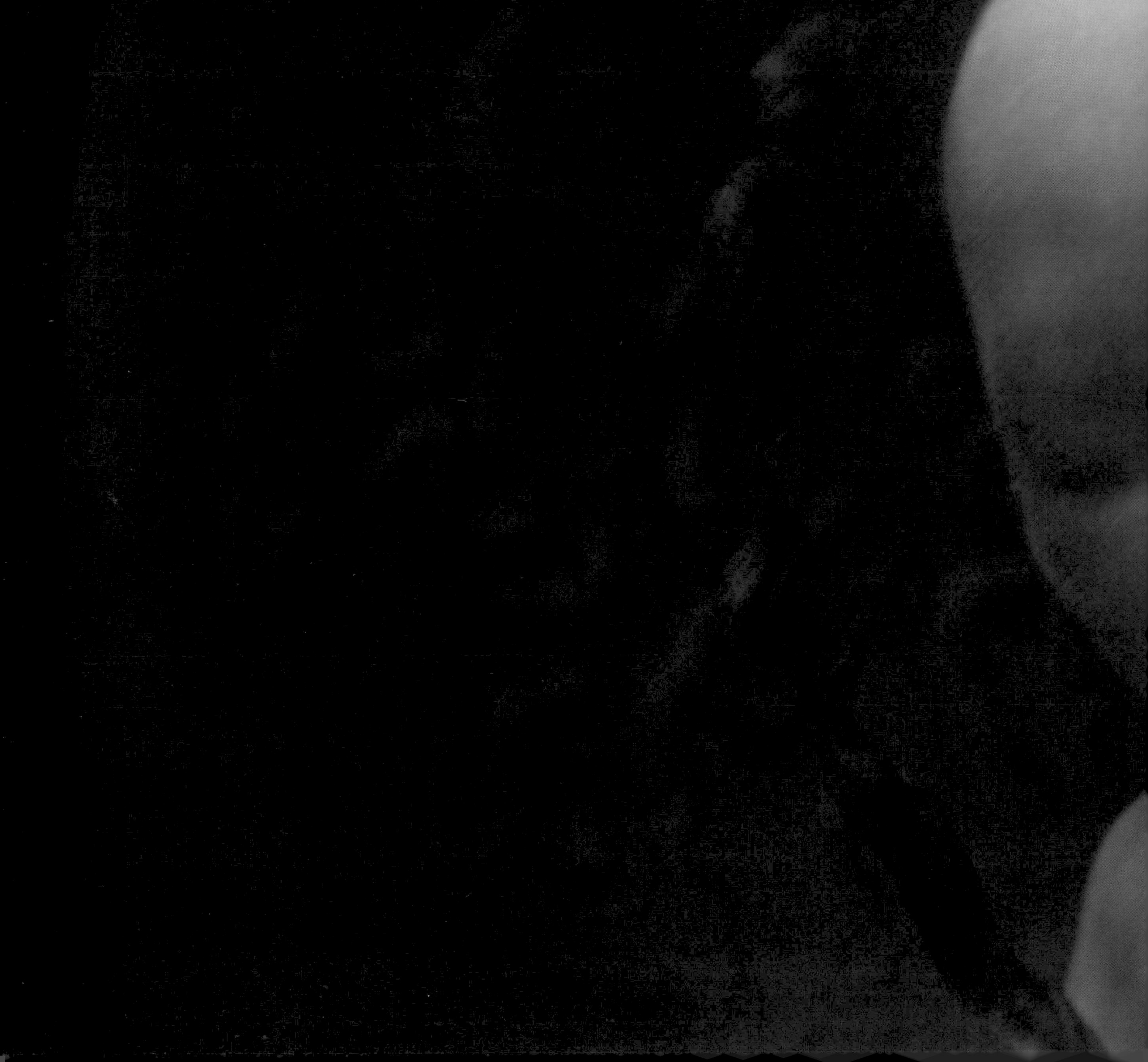

Le fœtus mesure
environ 26 cm
et pèse
à peu près 500 g.

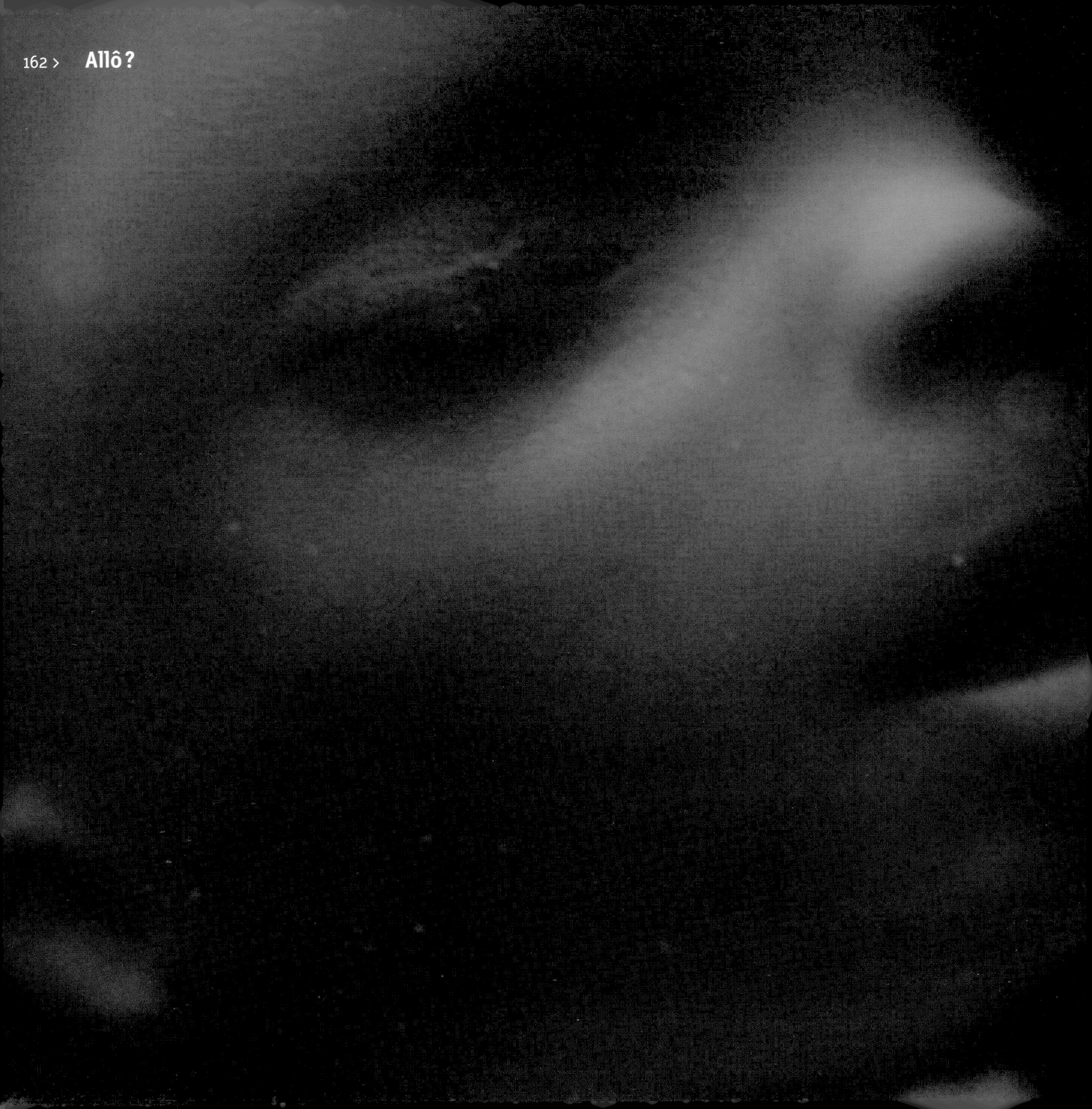

Une sensibilité à fleur de peau

Vers 5 mois, le fœtus devient de plus en plus sensible aux vibrations sonores. Son univers intra-utérin est bruyant : battements du cœur de la mère, borborygmes intestinaux, pulsations sanguines, etc. Il sent ces perturbations essentiellement par les récepteurs nerveux de sa peau. Le premier sens qui se développe chez lui est en effet celui du toucher. Suivront l'équilibration, le goût, l'odorat, l'audition et enfin la vision, selon une chronologie que l'on retrouve chez tous les mammifères.

Paisible, le fœtus
flotte dans
le liquide
amniotique :
il dort.

Un bruit insolite,
et il se réveille
brusquement.
Il est aussi
sensible aux sons
intérieurs
qu'extérieurs s'ils
sont suffisamment
intenses et aigus.

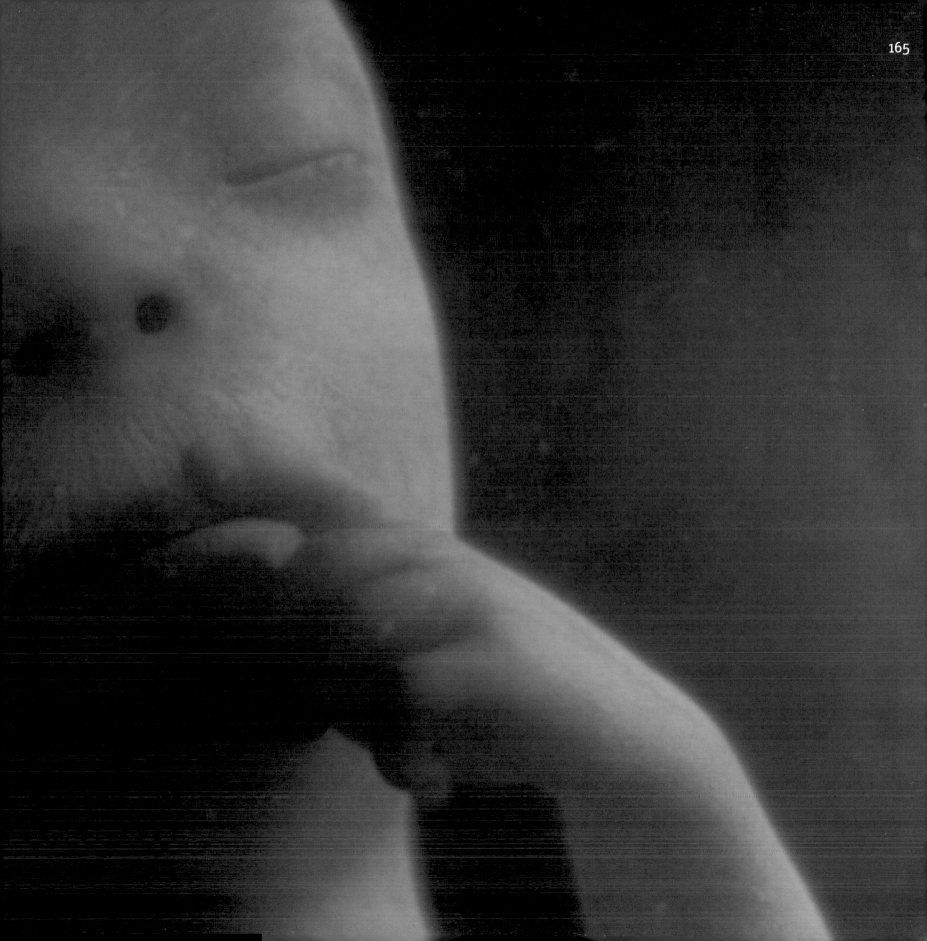

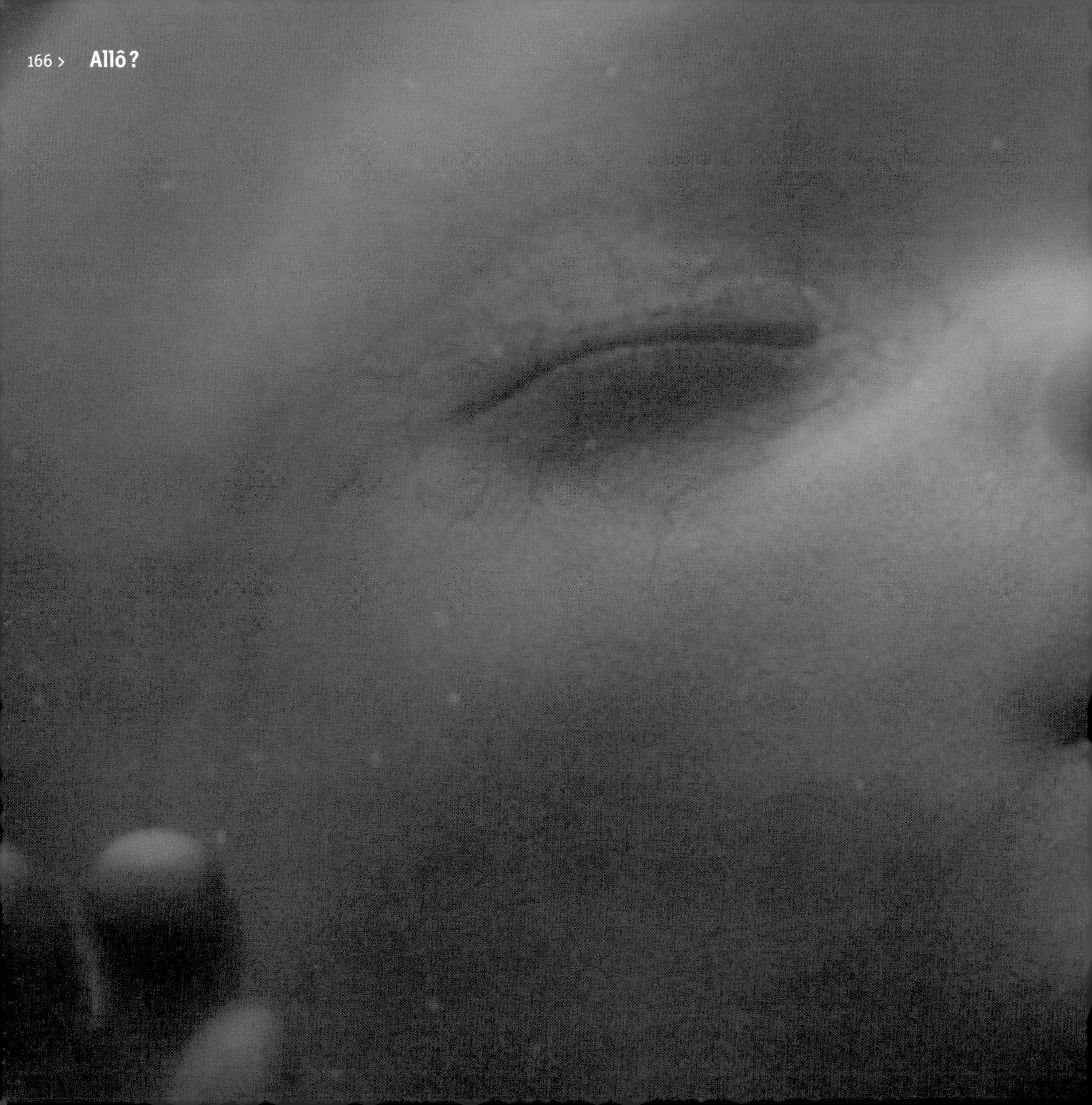

Lorsque,
par exemple,
le vacarme d'une
mobylette résonne
dans le ventre
de sa mère,
atténué par les
parois abdominales
et utérines
mais bien audible,
le fœtus sursaute ;
son rythme
cardiaque
s'accélère.

Le son ressenti et entendu

Jusqu'à présent, le fœtus ne captait les sons que par le sens du toucher, grâce aux vibrations propagées par le liquide amniotique et ressenties par la surface de sa peau. À présent, son appareil auditif est complètement fonctionnel : le délicat mécanisme de l'oreille interne est en place et est relié par les nerfs au cerveau.

Tout au fond, une fine membrane bouge au rythme des sons entendus par l'enfant. De l'autre côté de cette membrane se trouve l'oreille moyenne, constituée de la chaîne des osselets. Ces derniers (le marteau, l'enclume et l'étrier) ressemblent à une chaîne de montagnes qui bouge elle aussi en fonction des sons.

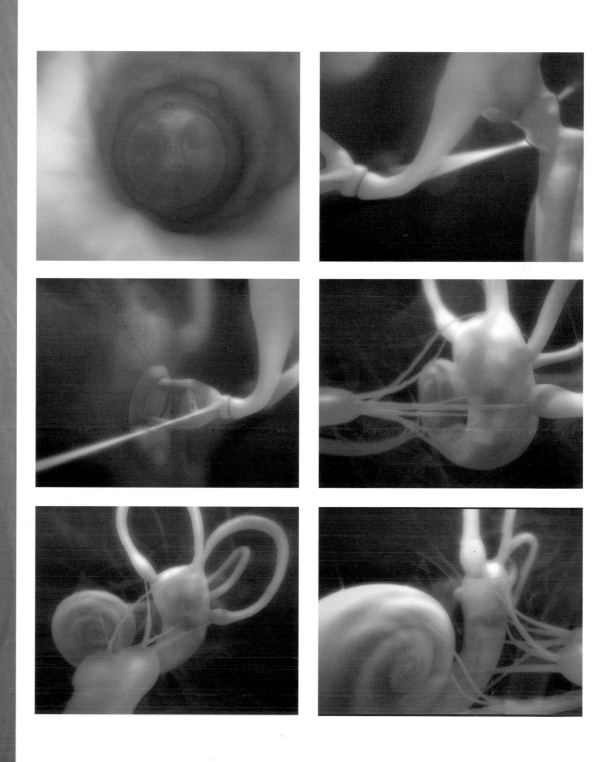

Moins de bruit !

Perturbé par le bruit, le fœtus manifeste : il se débat, le son de ses battements cardiaques augmente jusqu'à couvrir le bruit. Il a des mouvements brusques et donne des coups de pied.

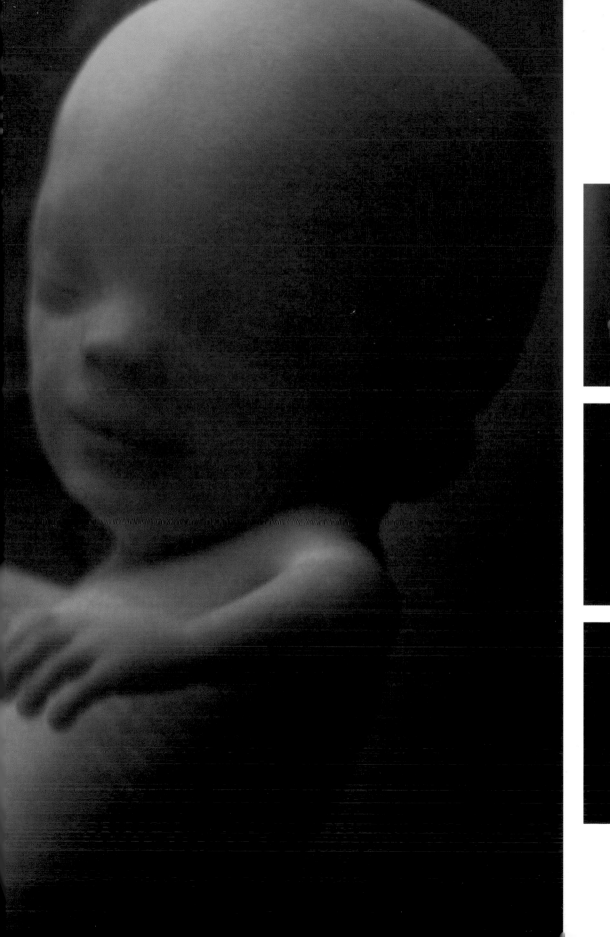
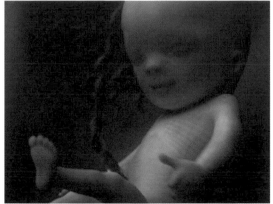
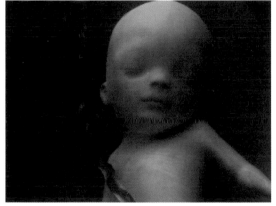

Le fœtus mesure
environ 30 cm
et pèse
à peu près
650 g.
Il reste fripé bien
que sa peau se soit
épaissie ;
elle est couverte
d'une fine pellicule,
le vernix caseosa.

Les os se forment

L'ossification du fœtus s'achève. Les cartilages deviennent des os. Les plus longs (tibia, fémur) sont encore en « pointillés ». À ce stade, le fœtus a plus d'os qu'un adulte. À sa naissance, il en comptera 300, contre 206 pour un adulte.

Les articulations se forment peu à peu à partir du 6ᵉ mois, mais elles ne seront vraiment solides que quelques mois après la naissance.

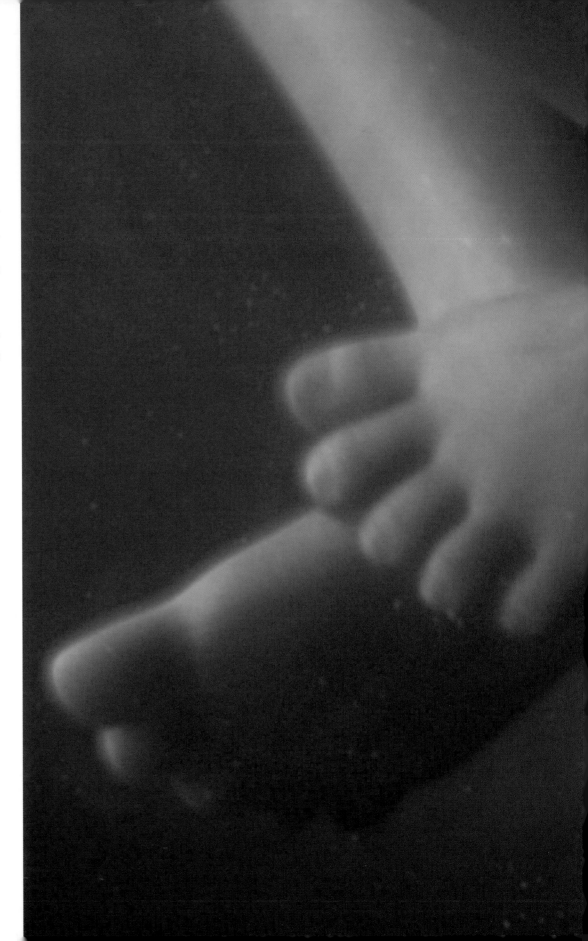

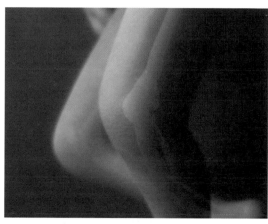
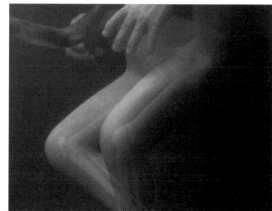

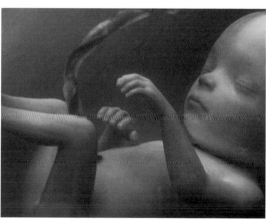

Moments de turbulence, périodes de calme

Si sa maman s'agite trop, le fœtus, trop secoué, peut « boire la tasse » : il avale du liquide amniotique. Rapidement, il est pris d'une crise de hoquets qui lui fait faire de petits sauts. Ballotté, il donne des coups de pied vigoureux dans la paroi utérine.

Puis il se détend, esquisse un sourire et met son pouce dans la bouche.

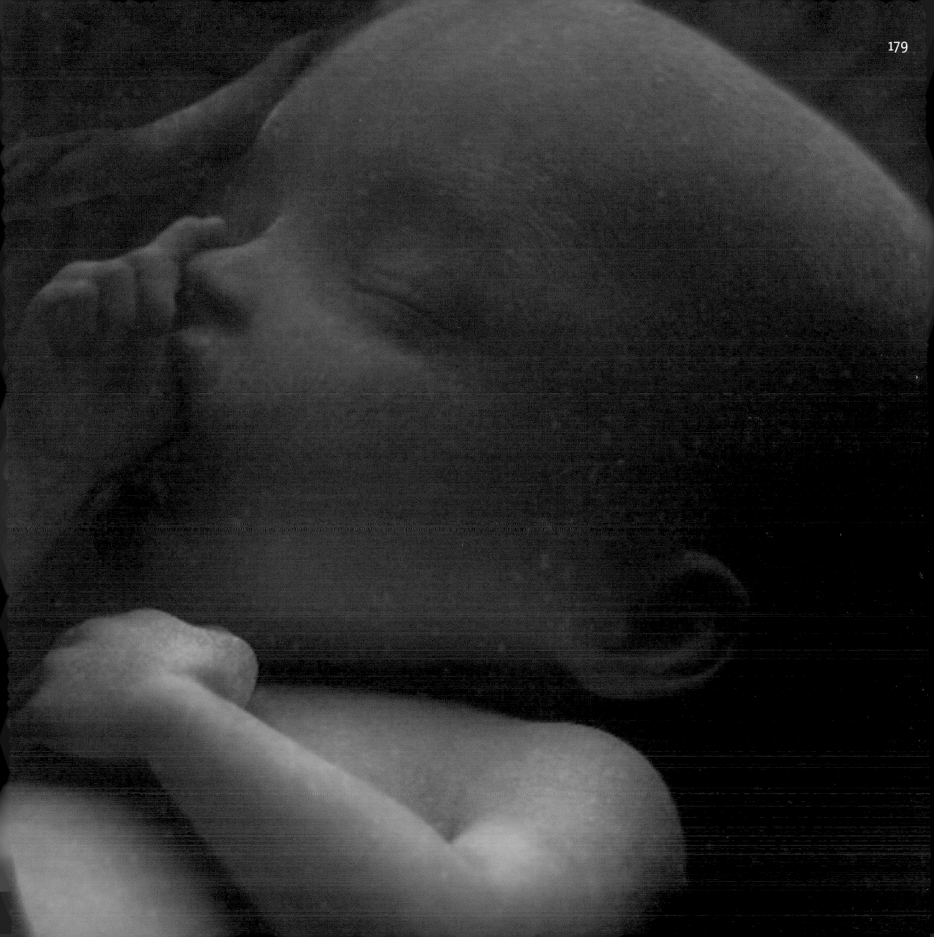

**Ses mouvements
sont le signe
d'un bon
fonctionnement
des muscles,
des os,
des nerfs et
des articulations.**

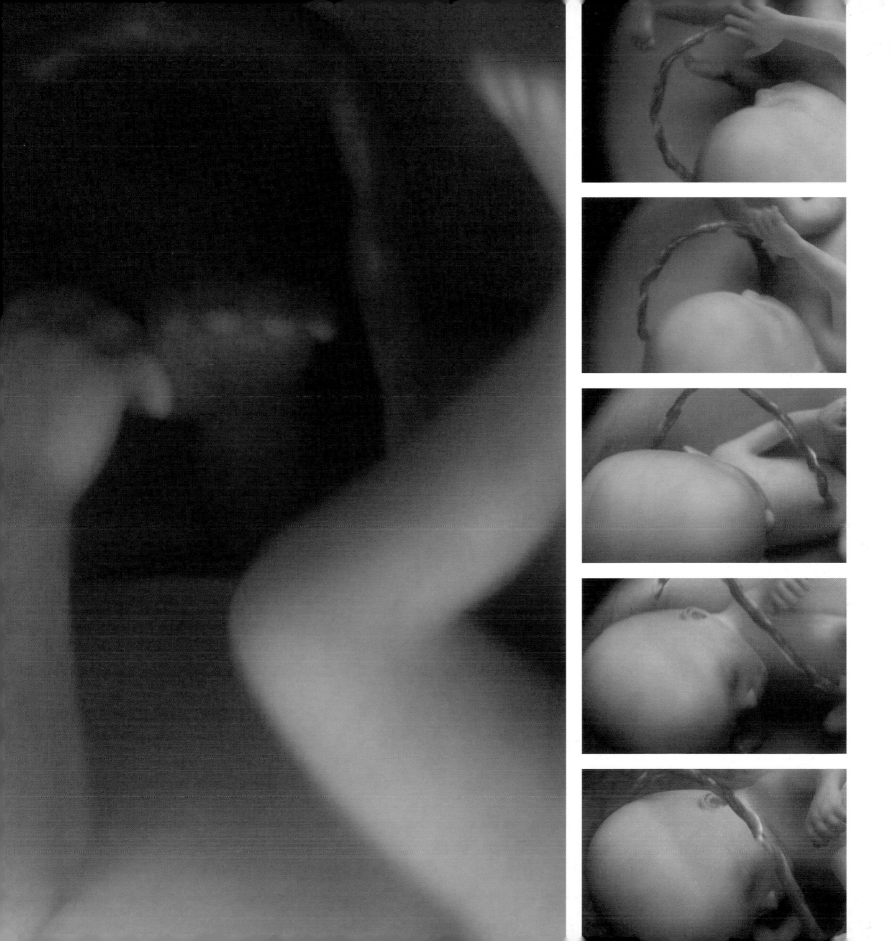

28ᵉ semaine, 7ᵉ mois

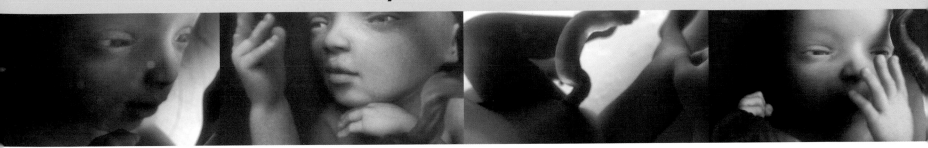

Bébé voit

Le fœtus mesure
environ 35 cm
et pèse à peu
près 1 150 g.
À 7 mois, le lunago,
ce fin duvet qui
couvrait sa peau
depuis le 5e mois,
disparaît, sauf
sur les épaules
et le dos. Sa tête
se couvre des
premiers cheveux,
très fins.

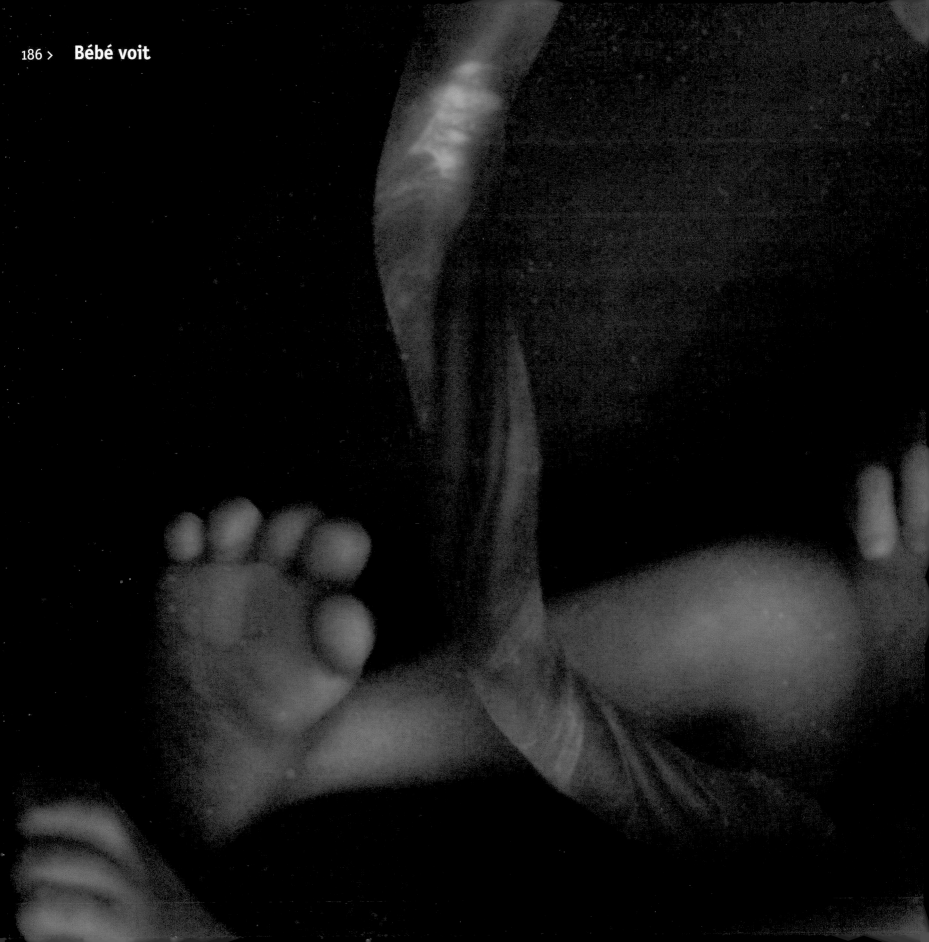

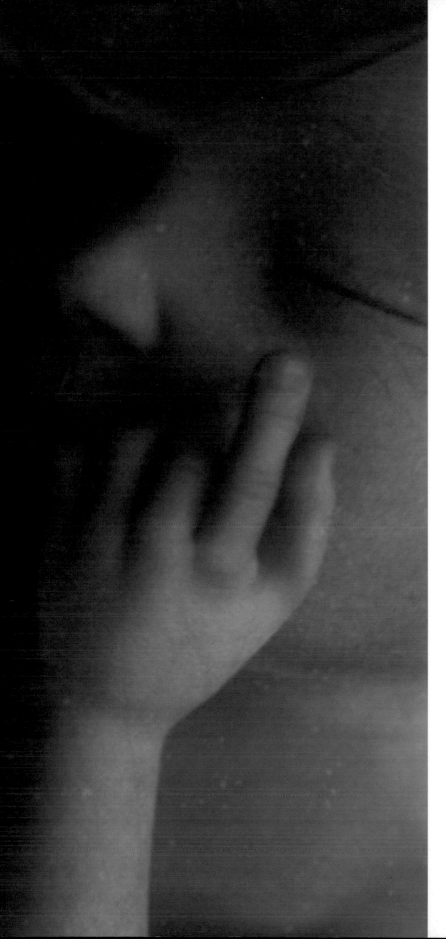

La formation des yeux

Au départ, les yeux de l'embryon étaient sur les côtés de sa tête. Ils se sont rapprochés au fur et à mesure de sa croissance. La partie frontale du cerveau s'est creusée et, au fond de ses cavités, l'œil s'est constitué lentement. La peau devient la rétine. Le cristallin se forme ainsi que la cornée. Puis les iris se développent du pourtour vers le centre. Enfin, deux plis de peau se rejoignent pour constituer les paupières. L'œil est achevé.

Ses paupières
se lèvent, il cligne
un peu des yeux :
il voit ! Il part
à la découverte
visuelle du monde
qui l'entoure,
découverte
toujours relayée
par le toucher.

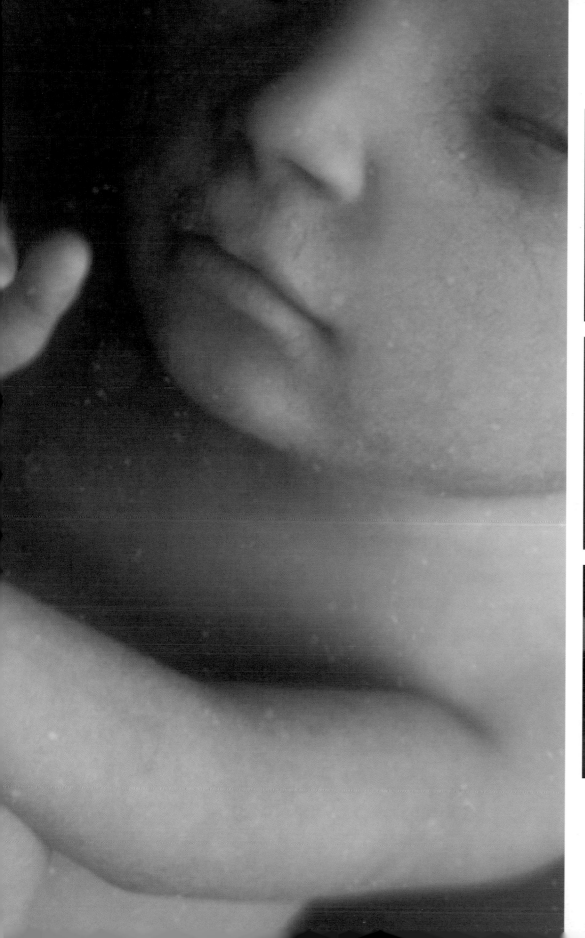

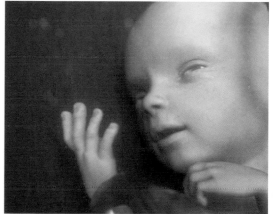

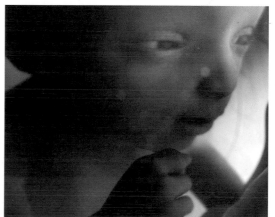

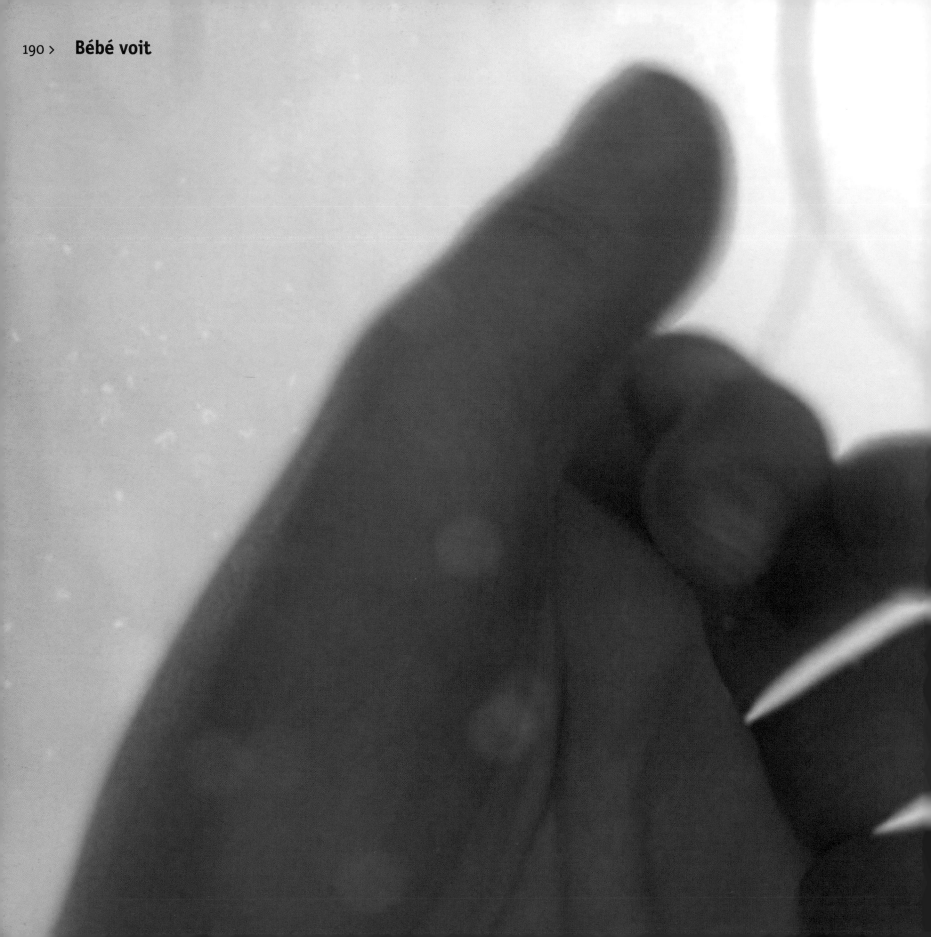

Il approche ses
mains – objets
étranges en forme
d'étoile – de son
visage ; au loin
apparaissent
ses pieds,
et au-dessus
de lui se déploie
la voûte
du placenta,
faiblement
éclairée.

Un monde sort de l'ombre

Entre le 6ᵉ et le 7ᵉ mois, le fœtus devient sensible
à l'alternance de l'ombre et de la lumière. Il est
capable de distinguer les nuances et les formes,
à mesure que les fonctions du cerveau et de la
rétine s'affinent et se coordonnent.

La plupart des
fœtus ont les yeux
bleus. En effet,
c'est la lumière
du soleil qui
permettra
la fabrication du
pigment oculaire
plusieurs semaines
après la naissance.

**Le fœtus mesure
environ 40,5 cm
et pèse
à peu près 1 900 g.**

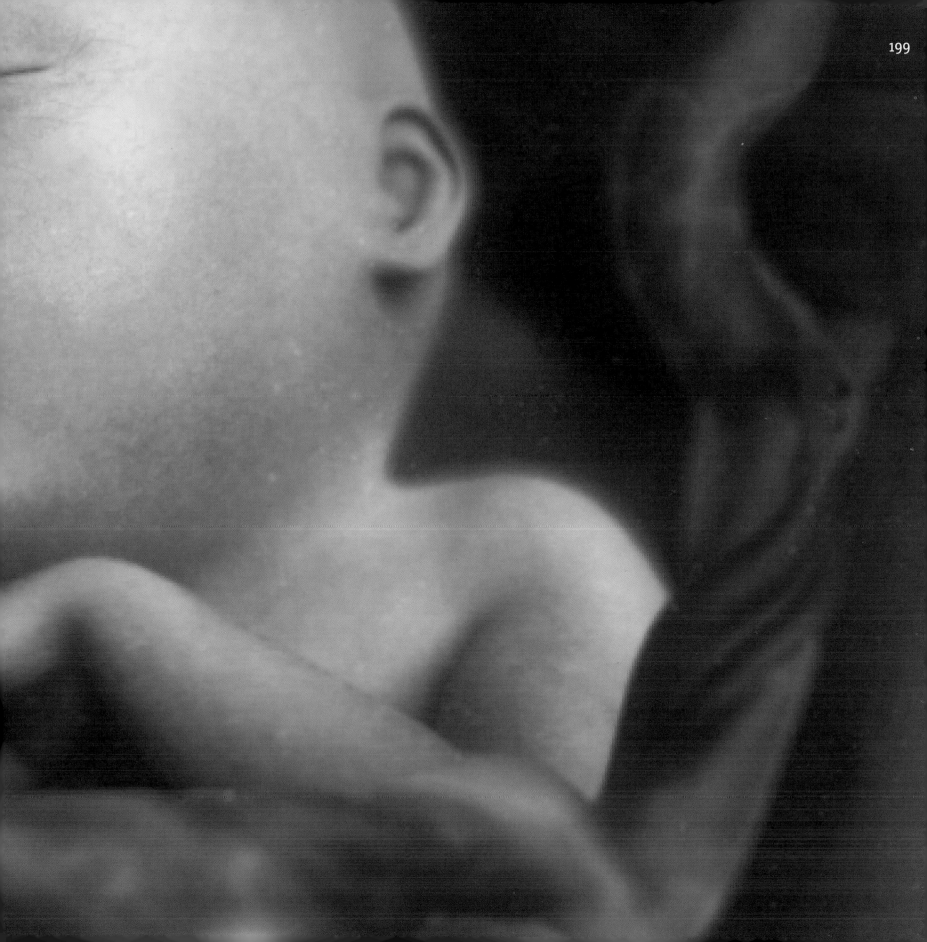

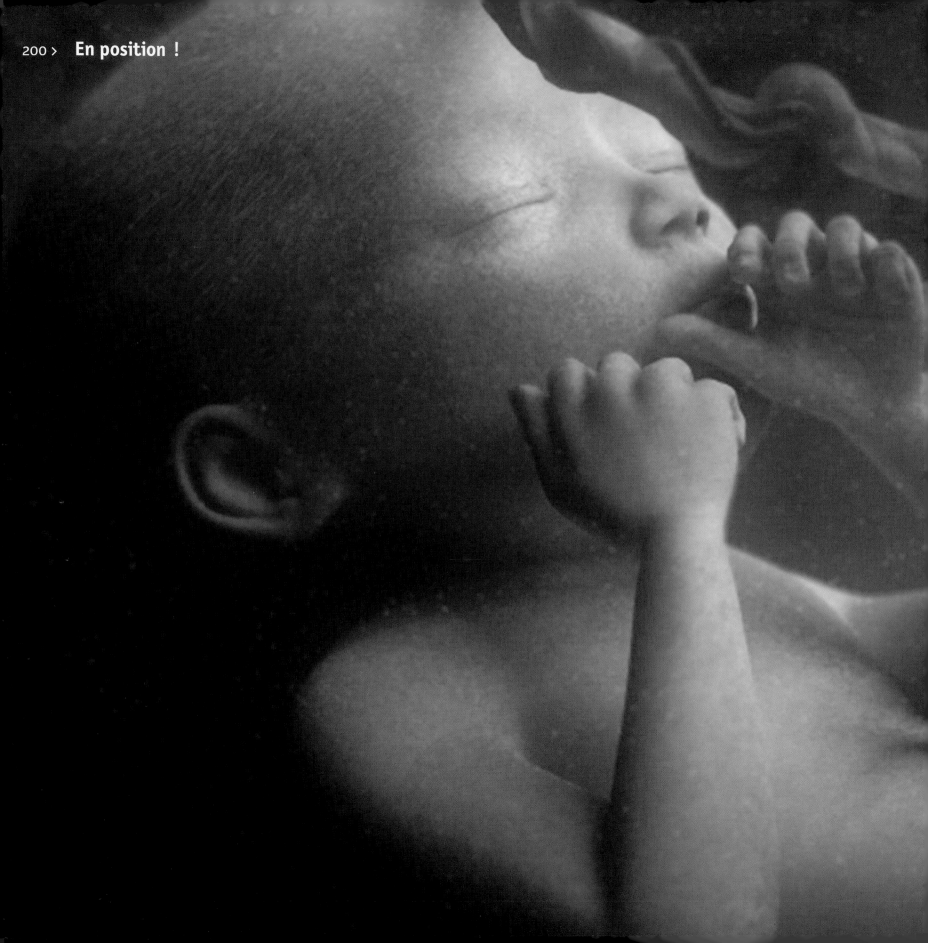

Bientôt prêt...

Des particules du liquide amniotique flottent autour de lui. L'utérus étant devenu un logement bien étroit, il est encore plus recroquevillé sur lui-même qu'avant.

La couleur de sa peau a changé à nouveau. Elle est plus pâle, car une couche de graisse s'est développée sous son épiderme afin de le préparer à la vie extra-utérine. Cette graisse lui servira de réserve nutritive et d'isolant thermique. Elle donne à l'enfant un aspect plus potelé : les rides de sa peau s'estompent.

Le fœtus a désormais un aspect très proche de celui qu'il aura à la naissance.

Retournement vers la lumière

Alors que le terme approche, poussé par on ne sait quel instinct, le fœtus entame une dernière rotation sur lui-même pour se retrouver tête en bas. Il peut s'y prendre à plusieurs reprises avant d'y parvenir. Certains, d'ailleurs, ne réussissent pas la manœuvre.

Environ 95 % des enfants se présentent la tête en bas ; les autres sortiront par le siège, ce qui est plus délicat.

Pour faciliter le glissement lors de l'accouchement, le fin duvet qui recouvre le fœtus laisse alors place à un enduit délicat, une sorte de crème de beauté qui protège aussi la peau des agressions.

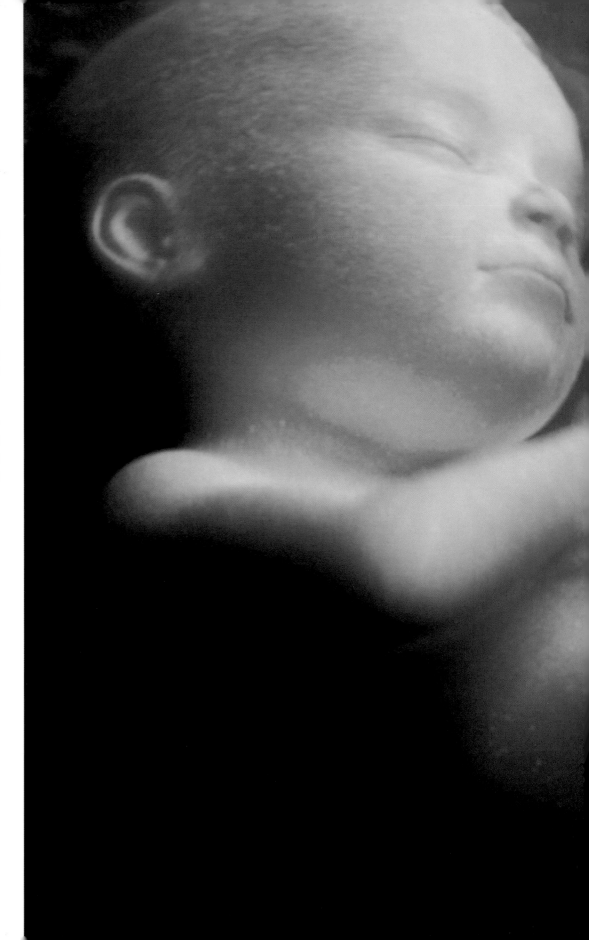

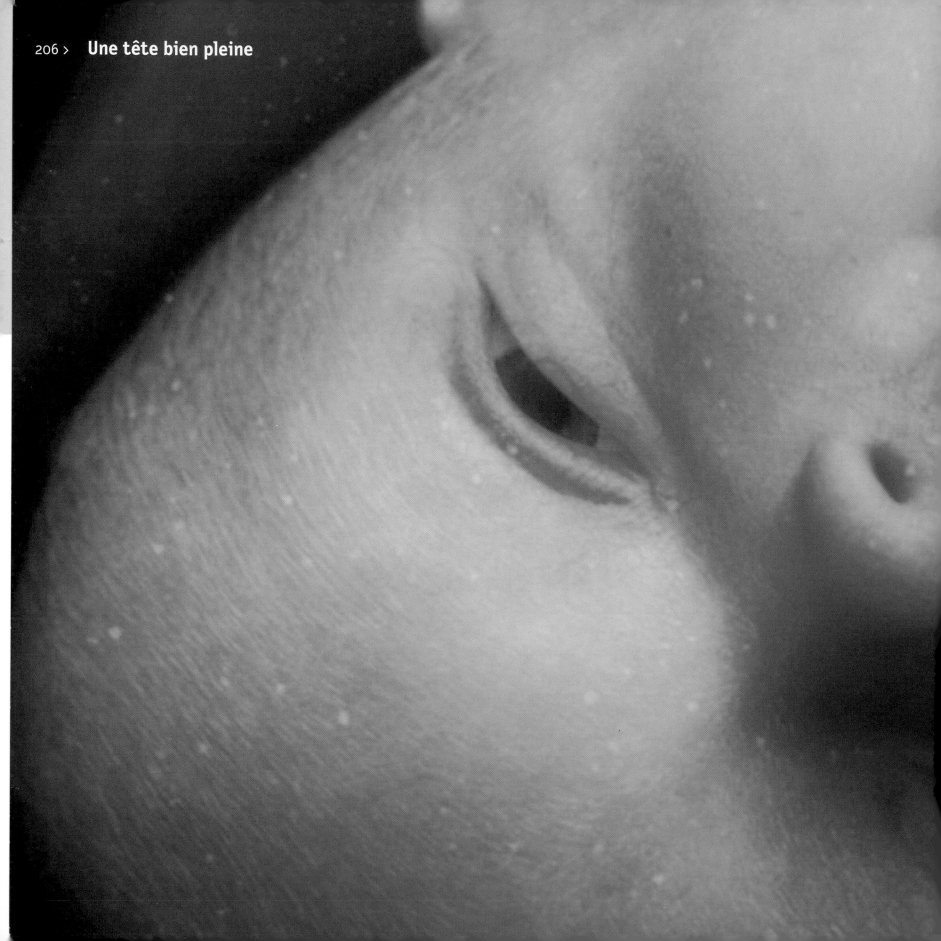

Le fœtus mesure
environ 46,5 cm
et pèse
à peu près 2 650 g.

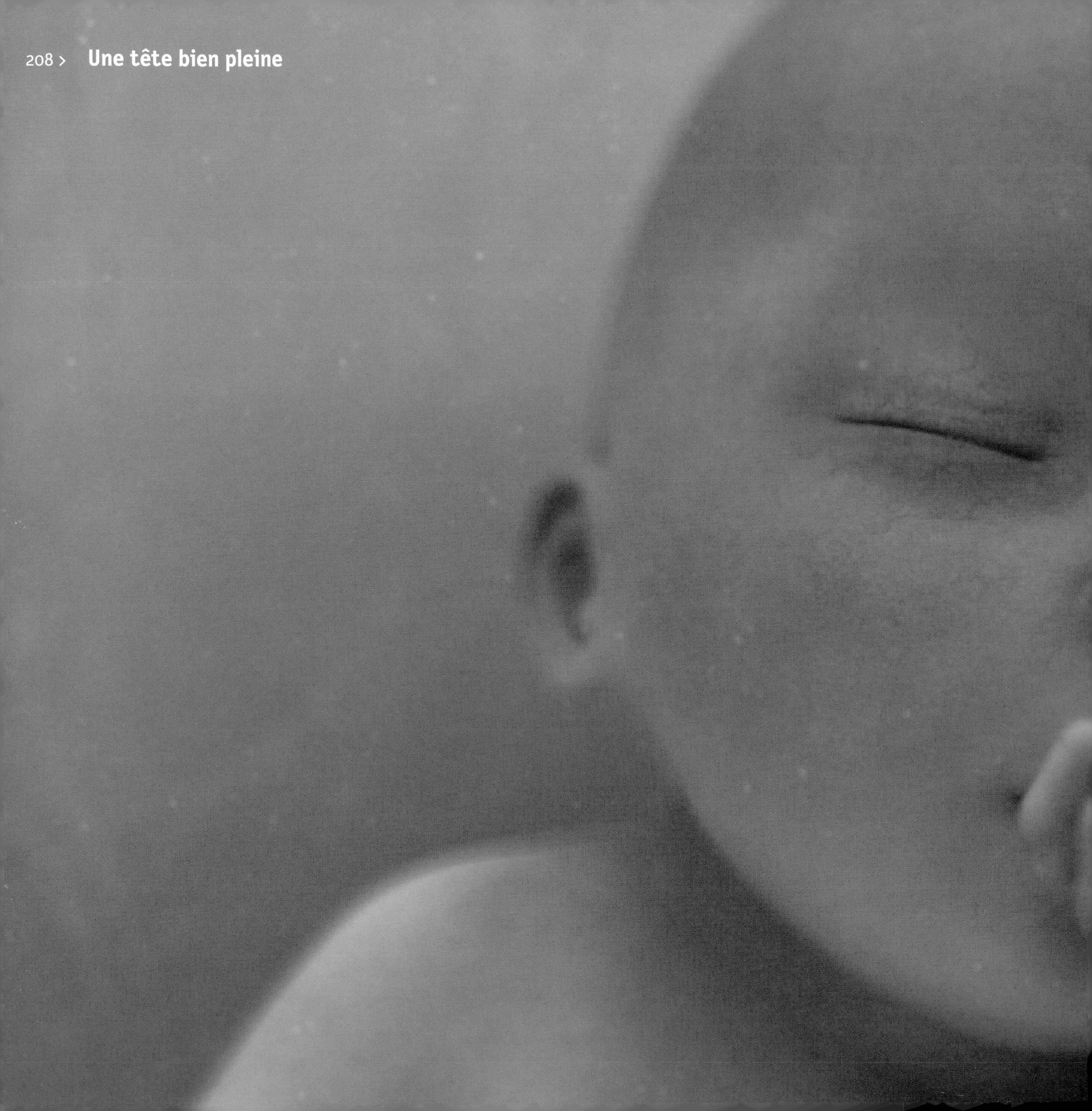

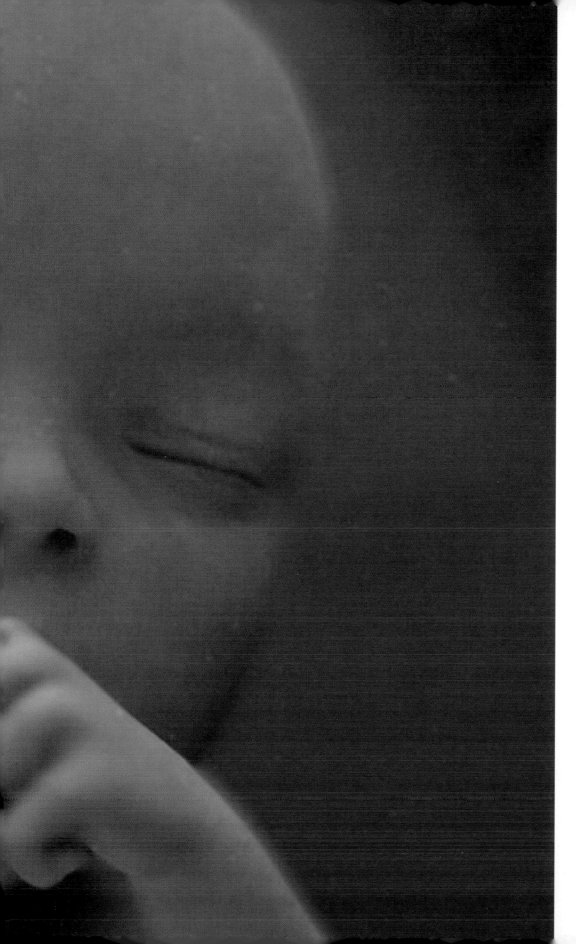

Une motricité affinée

Le fœtus est de plus en plus à l'étroit dans le ventre de sa mère, et pour cause : il grossit d'environ 200 g par semaine. Il peut bouger, mais plus difficilement. Ses gestes sont en revanche plus précis. Il serre les poings, se frotte le visage... Les ongles de ses doigts et de ses orteils étant complètement formés, il peut également se gratter quand ça le démange.

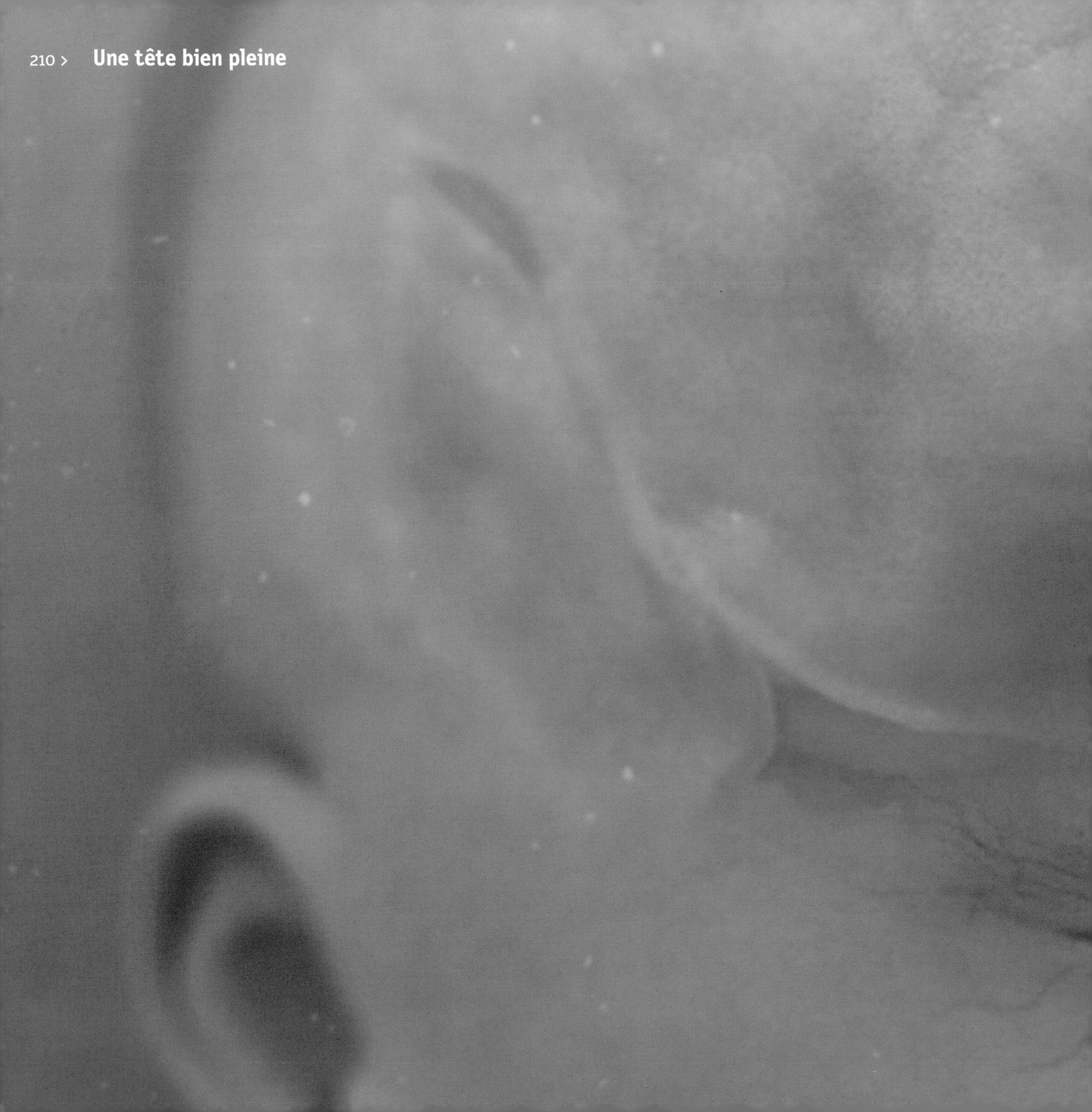

Les os du crâne
ne sont pas encore
soudés.
Sa tête pourra
ainsi s'allonger
et se rétrécir
au moment où il
sortira du ventre
de sa maman.

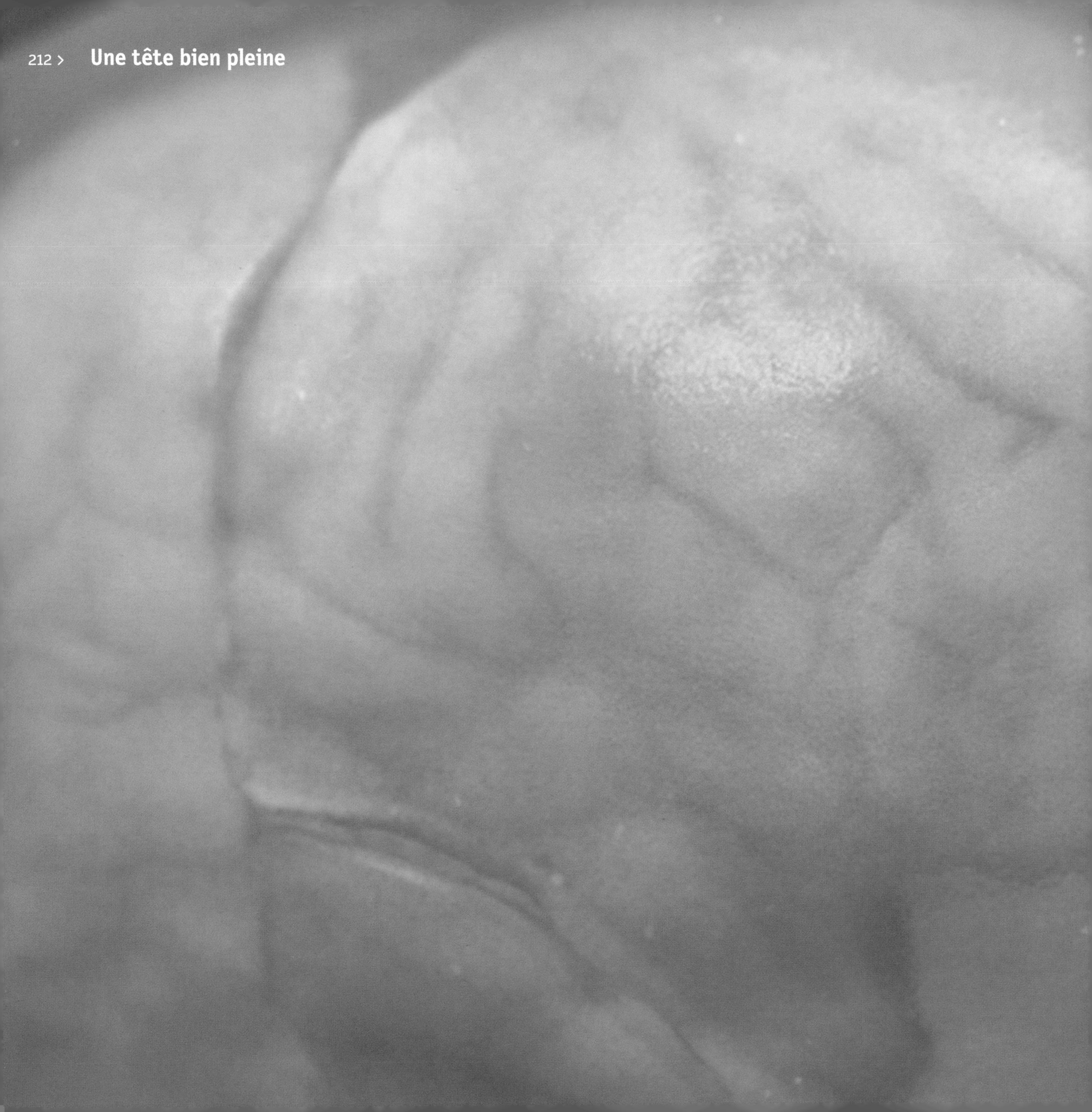

Le paysage cérébral :
vers une complexification

Entre les os, on distingue la surface du cerveau qui se creuse de multiples sillons. Globalement, le cerveau a sa forme définitive. Toutefois, il est encore lisse.

Il va se creuser progressivement de sillons et de renflements : les circonvolutions cérébrales, qui vont croître pour former un paysage de monts et de vallées.

C'est le temps des derniers réglages. Les fonctions se localisent et s'affinent. Le cerveau dresse sa géographie finale. Là, le royaume visuel, ici, le continent de l'audition et de la motricité, les odeurs et les sons, là-bas, les images et par ici les mots.

À ce stade, le cerveau de l'enfant est assez performant pour contrôler ses principales fonctions vitales, comme, par exemple, sa respiration et sa digestion...

40ᵉ semaine, fin du 9ᵉ mois

La rencontre

**Le fœtus mesure
environ 50 cm
et pèse
à peu près 3 300 g**

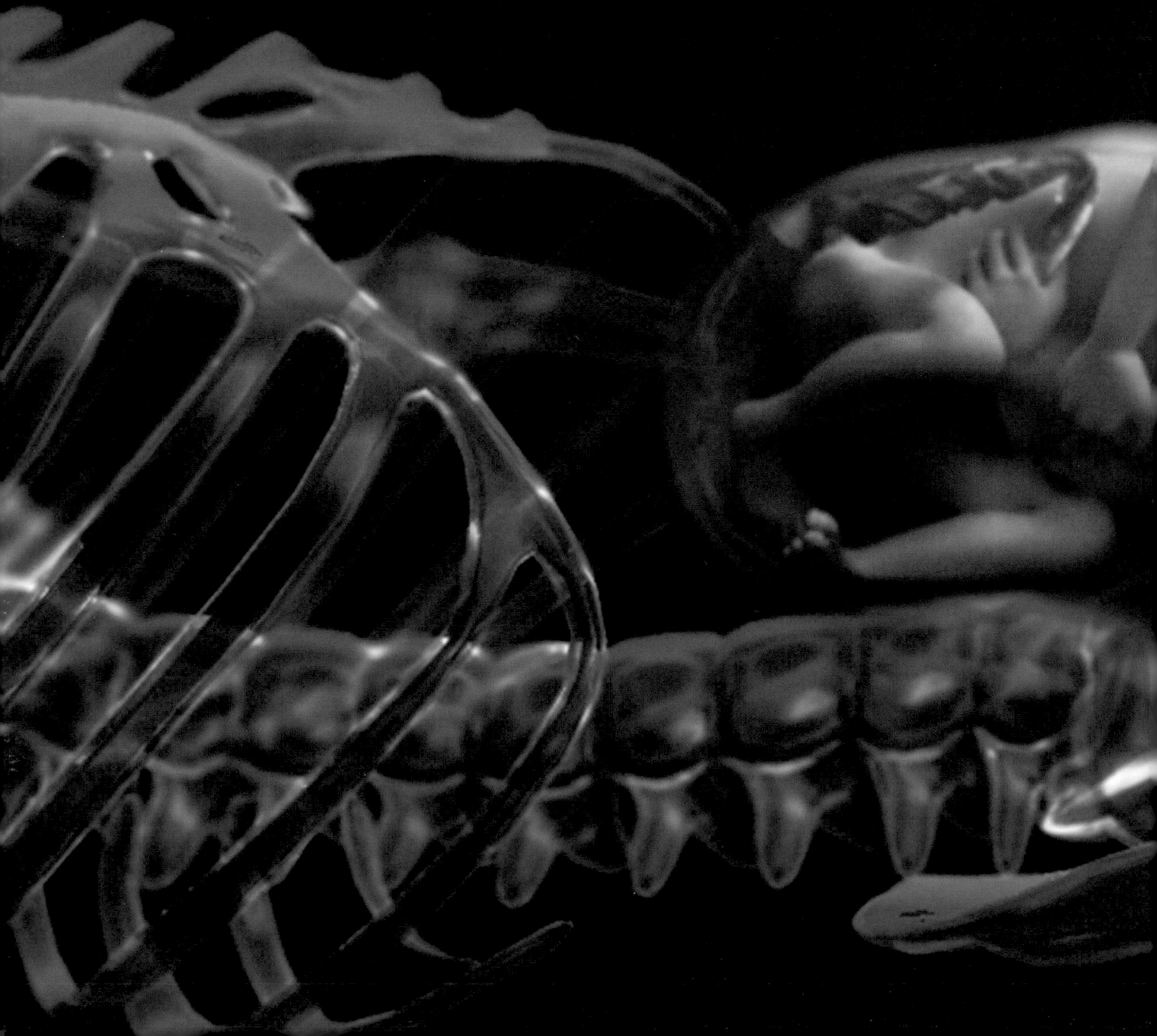

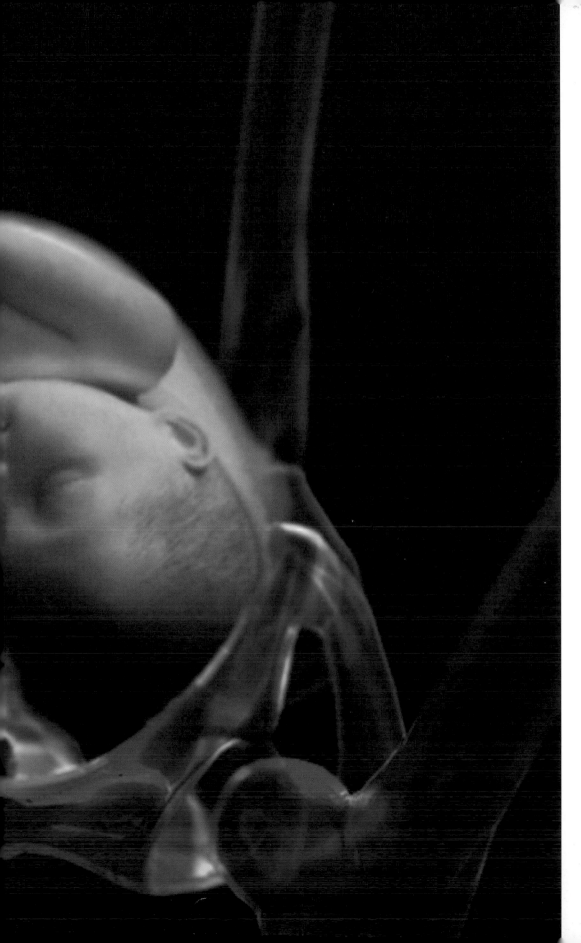

En route vers la sortie !

Les membranes de la poche des eaux se rompent.
L'expulsion commence. Les parois de l'utérus se
rapprochent brutalement, se serrant autour du
corps du bébé. Le visage tourné vers le bas, celui-
ci amorce sa descente, chaque contraction du
muscle utérin le poussant un peu plus vers la
lumière.

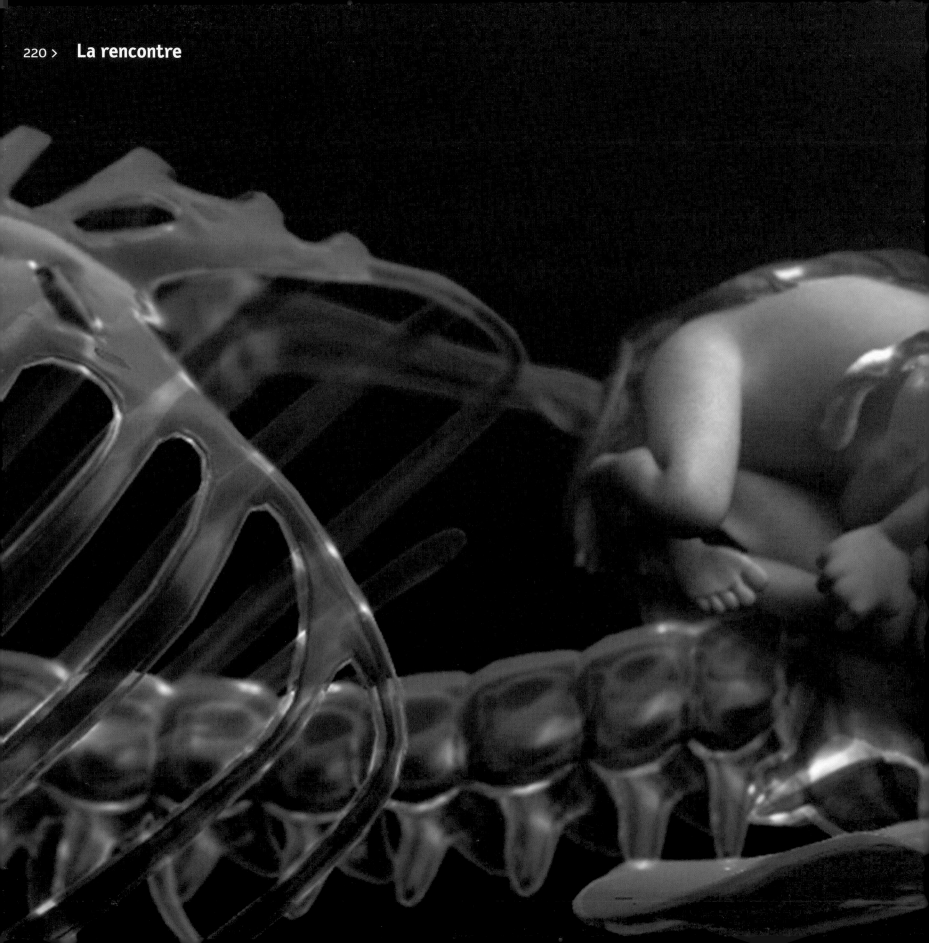

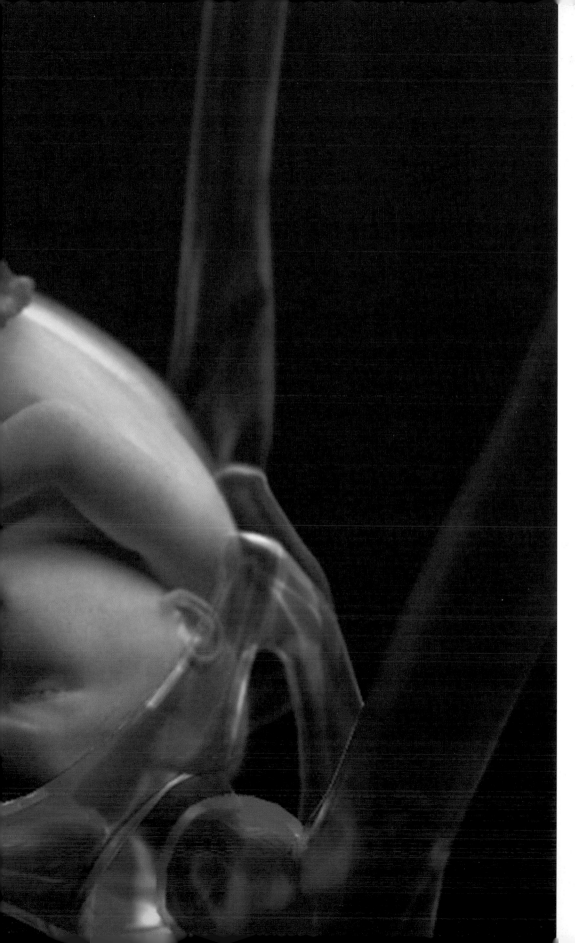

Dernier effort

Le bébé se dirige vers la « sortie ». Son crâne n'est pas entièrement ossifié. Entre les os persistent des espaces fibreux, les fontanelles, qui ne se fermeront que plusieurs mois après la naissance.

L'enfant pousse sur le col de l'utérus et commence à s'y engager. L'accouchement est une épreuve physique pour la mère, mais aussi pour l'enfant.

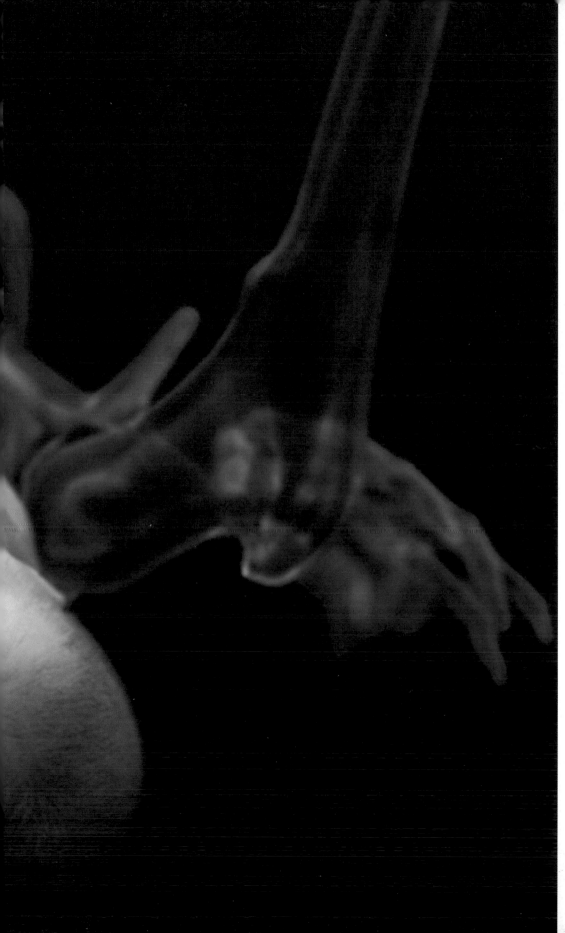

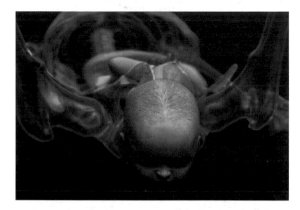

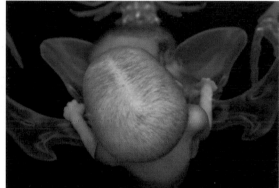

Sortie au grand jour

Entre les cuisses de la mère pointe le bout d'une tête, des cheveux. Le médecin dégage une épaule, puis l'autre. Le reste du corps arrive. Les narines de l'enfant se dilatent, son visage se plisse, sa poitrine se soulève, sa bouche s'entrouvre : pour la première fois de sa vie, il respire. Il pousse un cri. Il est aveuglé par la lumière, surpris par l'intensité des bruits, étonné par l'air, un peu affolé par le monde et surtout exténué par l'effort.

Pour le bébé, la naissance est un choc. La plupart de ses organes – poumons, estomac, intestin ou reins – n'ont jamais été mis à l'épreuve. Ils doivent tous se mettre en marche dans les secondes qui suivent l'accouchement.

Une nouvelle aventure commence...

ISBN: 2501-046-78-1
Dépôt légal: 67807 - janvier 2006
Nuart: 4096210
Édition 01
Imprimé en Espagne par Graficas Estella